TARANDON

ANTHONY HOROWITZ

Troswyd i'r Gymraeg
gan
Grey Evans

DREF WEN

I J, N, C ac L

Mae'r cyhoeddwyr yn cydnabod cefnogaeth ariannol
Cyngor Llyfrau Cymru.

Cyhoeddwyd 2006 gan Wasg y Dref Wen,
28 Ffordd yr Eglwys, Yr Eglwys Newydd,
Caerdydd CF14 2EA, ffôn 029 20617860
Cyhoeddwyd gyntaf yn y Deyrnas Unedig yn 2000
gan Walker Books Cyf,
87 Vauxhall Walk, Llundain SE11 5HJ
dan y teitl *Stormbreaker*

Argraffwyd a rhwymwyd ym Mhrydain gan J.H. Haynes & Co. Cyf.

CYNNWYS

LLEISIAU ANGLADD

Pan mae cloch y drws yn canu am dri o'r gloch y bore, dydi o byth yn newyddion da.

Deffrodd Alecs Rider gyda'r caniad cyntaf. Agorodd ei lygaid, ond am eiliad arhosodd yn hollol lonydd yn ei wely, yn gorwedd ar wastad ei gefn a'i ben yn gorffwys ar y gobennydd. Clywodd ddrws ystafell wely'n agor a phren yn gwichian wrth i rywun fynd i lawr y grisiau. Canodd y gloch am yr eildro ac edrychodd Alecs ar y cloc larwm oedd yn gloywi wrth ei ymyl. 3.02 y bore. Daeth sŵn clencian wrth i rywun ddatod y gadwyn ddiogelwch oddi ar y drws ffrynt.

Rhowliodd allan o'r gwely a cherdded draw at y ffenest agored, ei draed noeth yn pwyso i mewn i'r carped trwchus. Roedd y lleuad yn taflu golau ar ei frest a'i ysgwyddau. Pedair ar ddeg oed oedd Alecs; roedd yn fachgen cyhyrog, a chanddo gorff athletwr. Roedd ganddo wallt golau, wedi ei dorri'n fyr ar wahân i ddau gudyn trwchus a ddisgynnai dros ei dalcen. Roedd ei lygaid yn frown a difrifol. Am eiliad, safodd yn dawel yn y cysgodion yn edrych allan. Roedd car heddlu wedi ei barcio tu allan. O'i ffenest ar yr ail lawr, gallai Alecs weld

5

y rhif ID du ar y to a chapiau'r ddau ddyn oedd yn sefyll wrth y drws. Daeth golau'r cyntedd ymlaen ac agorwyd y drws.

'Mrs Rider?'

'Nage. Fi yw'r howscipar. Be sy'n bod? Be sy wedi digwydd?'

'Cartre Mr Ian Rider yw hwn, ife?'

'Ie.'

'Tybed allen ni ddod miwn ...'

Ac roedd Alecs yn gwybod yn barod. Yn gwybod oherwydd y ffordd y safai'r plismyn yno, yn lletchwith ac anesmwyth. Ond roedd hefyd yn gwybod oherwydd tôn eu lleisiau. Lleisiau angladd ... felly y byddai'n eu disgrifio yn nes ymlaen. Y math o leisiau y bydd pobl yn eu defnyddio pan fyddan nhw'n dod i ddweud wrthych fod rhywun agos atoch wedi marw.

Aeth Alecs at ddrws ei ystafell a'i agor. Clywai'r ddau heddwas yn siarad i lawr yn y cyntedd, ond dim ond ambell air a ddeallai.

'... damwain car ... galw'r ambiwlans ... gofal dwys ... dim y galle neb 'i wneud ... mor flin gennym.'

Oriau'n ddiweddarach, wrth iddo eistedd yn y gegin yn gwylio'r wawr ddi-liw'n gwaedu'n araf hyd strydoedd gorllewin Llundain, ceisiai Alecs wneud synnwyr o'r hyn oedd wedi digwydd.

Roedd ei ewythr – Ian Rider – wedi marw. Wrth yrru am adref trawyd ei gar gan lori ger cylchfan Old Street a bu farw o fewn eiliadau. Nid oedd yn gwisgo gwregys diogelwch, meddai'r plismyn. Fel arall, efallai y byddai wedi byw.

Meddyliodd Alecs am y dyn a fu'n unig berthynas iddo cyhyd ag y gallai gofio. Nid oedd wedi adnabod ei rieni ei hun erioed. Roedden nhw wedi cael eu lladd mewn damwain hefyd, damwain awyren y tro hwnnw, ychydig wythnosau wedi iddo gael ei eni. Cafodd ei fagu gan frawd ei dad (byth yn 'Yncl' – roedd yn gas gan Ian Rider y gair hwnnw) a threuliodd y rhan fwyaf o'i bedair blynedd ar ddeg yn yr un tŷ teras yn Chelsea, Llundain, rhwng y King's Road a'r afon. Dim ond rŵan roedd Alecs yn dechrau sylweddoli cyn lleied roedd yn ei wybod am y dyn.

Banciwr. Dywedai pobl fod Alecs yn ddigon tebyg iddo o ran pryd a gwedd. Roedd Ian Rider byth a hefyd yn teithio. Dyn tawel, preifat; dyn oedd yn hoff o win da, cerddoriaeth glasurol a llyfrau. Dyn heb gariadon, yn ôl pob golwg … a dweud y gwir, doedd ganddo ddim ffrindiau o gwbl. Roedd wedi cadw'i hun yn heini, heb ysmygu erioed, a gwisgai ddillad drud. Ond doedd hynny ddim yn ddigon. Nid darlun cyflawn o fywyd oedd hynny, dim ond braslun ffwrdd-â-hi.

'Ti'n iawn, Alecs?' Daeth dynes ifanc i mewn i'r ystafell. Roedd yn ei dauddegau hwyr a chanddi lond pen o wallt coch a wyneb crwn, bachgennaidd. Americanes oedd Jac Starbright. Daeth i Lundain yn fyfyrwraig saith mlynedd ynghynt, rhentu ystafell yn y tŷ yn gyfnewid am wneud ychydig o waith tŷ a gwarchod, ac arhosodd ymlaen i gadw tŷ yno, gan ddod yn un o ffrindiau pennaf Alecs. Ambell dro byddai Alecs yn ceisio dyfalu talfyriad o ba enw oedd Jac. Jackie? Jacqueline? Doedd yr un o'r ddau yn gweddu'n iawn iddi rhywsut, ac er iddo ofyn iddi unwaith, wnaeth hi erioed egluro.

Nodiodd Alecs. 'Be wyt ti'n feddwl ddigwyddith?' gofynnodd.

'Be wyt ti'n feddwl?'

'I'r tŷ. I mi. I chdi.'

'Dwi ddim yn gwybod.' Cododd Jac ei hysgwyddau. 'Mae'n debyg y bydd Ian wedi gwneud ewyllys. Mi fydd wedi gadael cyfarwyddiadau.'

'Falle dylen ni chwilio yn ei swyddfa.'

'Dylen. Ond dim heddiw, Alecs. Un cam ar y tro, ie?'

Roedd swyddfa Ian wedi ei lleoli mewn

ystafell a redai o un pen o'r tŷ i'r llall, ar lawr uchaf yr adeilad. Hon oedd yr unig ystafell oedd bob amser dan glo – tair neu bedair o weithiau'n unig y bu Alecs ynddi erioed, a byth ar ei ben ei hun. Flynyddoedd ynghynt roedd wedi dychmygu y gallai fod rhywbeth rhyfedd yno – peiriant teithio mewn amser, neu UFO efallai. Ond dim ond swyddfa oedd yno – swyddfa efo desg, pâr o gypyrddau ffeilio, silffoedd yn llawn papurau a llyfrau. Stwff y banc – dyna a ddywedai Ian. Serch hynny, roedd Alecs am fynd i fyny yno rŵan. Am na chafodd wneud hynny erioed o'r blaen.

'Roedd y plismyn yn deud nad oedd o'n gwisgo'i wregys,' meddai Alecs gan droi at Jac.

Nodiodd hi. 'Oedden. Dyna ddywedon nhw.'

'Wyt ti ddim yn meddwl fod hynny'n rhyfedd? Ti'n gwbod un mor ofalus oedd o. Bob amser yn gwisgo'i wregys diogelwch. Fydda fo ddim yn fodlon hyd yn oed 'y ngyrru fi i'r stryd nesa heb i mi wisgo f'un i.'

Meddyliodd Jac am eiliad yna codi'i hysgwyddau. 'Odi, mae e'n rhyfedd,' meddai. 'Ond mae'n rhaid taw felly y bu hi. Pam fydde'r plismyn yn dweud celwydd?'

Llusgodd y diwrnod yn ei flaen. Aeth Alecs ddim

9

i'r ysgol, er y byddai'n well ganddo fynd mewn gwirionedd. Byddai'n well ganddo ddianc yn ôl i'w fywyd arferol – y gloch yn canu, tyrfa o wynebau cyfarwydd – yn lle eistedd yno, yn gaeth i'r tŷ. Ond roedd yn rhaid iddo fod ar gael er mwyn derbyn yr ymwelwyr a ddaeth drwy gydol y bore a gweddill y pnawn.

Roedd pump ohonynt. Cyfreithiwr na wyddai ddim oll am ewyllys, ond a oedd, yn ôl pob golwg, dan orchymyn i drefnu'r angladd. Trefnydd angladdau wedi ei argymell gan y cyfreithiwr. Ficer – tal ac oedrannus – a edrychai'n siomedig nad oedd Alecs yn ymddangos yn fwy digalon. Cymdoges o'r ochr arall i'r stryd – sut gwyddai hi fod rhywun wedi marw? Ac yn olaf un, dyn o'r banc.

'Mae pawb ohonon ni yn y Royal & General wedi'n syfrdanu,' meddai. Roedd yn ei dridegau, yn gwisgo siwt polyester a thei o Marks & Spencer. Roedd ganddo'r math o wyneb y byddech chi'n ei anghofio hyd yn oed wrth edrych arno, ac roedd wedi cyflwyno'i hun fel Crawley, o'r Adran Bersonél. 'Os oes 'na unrhyw beth allwn ni 'i wneud ...'

'Be sy'n mynd i ddigwydd?' gofynnodd Alecs am yr ail dro y diwrnod hwnnw.

'Does dim angen i ti fecso,' meddai Crawley.

'Fe wnaiff y banc ofalu am bopeth. Dyna yw 'ngwaith i. Gadewch chi bopeth i fi.'

Rhygnodd y dydd yn ei flaen. Gwastraffodd Alecs awr neu ddwy yn chwarae â'i Nintendo 64 y noson honno – ac yna teimlai'n euog rywsut pan ddaeth Jac ar ei draws yn chwarae. Ond beth arall wnâi o? Yn nes ymlaen aeth hi ag o allan i Burger King. Roedd yn falch o gael mynd allan o'r tŷ, ond prin fu eu sgwrs. Roedd Alecs yn cymryd yn ganiataol y byddai'n rhaid i Jac fynd yn ei hôl i America. Fe fyddai'n amhosib iddi aros yn Llundain am byth. Pwy oedd am ofalu amdano fo, felly? Yn ôl y gyfraith roedd yn rhy ifanc i ofalu amdano'i hun. Edrychai ei ddyfodol mor ansicr fel bod yn well ganddo beidio siarad am y peth. Roedd yn well ganddo beidio siarad o gwbl.

Ac yna cyrhaeddodd diwrnod yr angladd a chafodd Alecs ei hun wedi'i wisgo mewn siaced dywyll, yn paratoi i deithio mewn car du a ymddangosodd o rywle, ynghanol pobl nad oedd erioed wedi eu cyfarfod o'r blaen. Claddwyd Ian Rider ym Mynwent Brompton ar Fulham Road, dafliad carreg o faes pêl-droed Chelsea, a gwyddai Alecs yn iawn ble byddai'n well ganddo fod y pnawn Mercher hwnnw. Roedd rhyw dri deg o bobl yno, ond prin fod

Alecs yn adnabod neb. Roedd bedd wedi'i dorri ger y lôn fach a redai o un pen i'r fynwent i'r llall, ac wrth i'r gwasanaeth ddechrau, arhosodd Rolls-Royce du gerllaw, agorodd y drws cefn a daeth dyn allan ohono. Gwyliodd Alecs wrth iddo gerdded ymlaen a sefyll. Pasiodd awyren uwch eu pennau ar ei ffordd i lanio yn Heathrow, gan guddio golau'r haul am rai eiliadau. Teimlodd Alecs ias yn mynd trwyddo. Roedd rhywbeth ynghylch y dyn dieithr oedd yn gwneud iddo deimlo'n anesmwyth.

Ac eto, dyn digon cyffredin yr olwg oedd o. Gwallt brith, siwt lwyd, gwefusau llwyd, llygaid llwyd. Roedd ei wyneb yn ddicmosiwn, y llygaid y tu ôl i'r sbectol ffrâm ddur yn hollol wag. Efallai mai dyna oedd Alecs yn ei gael yn annifyr. Pwy bynnag oedd y dyn yma, roedd llai o fywyd i'w weld ynddo fo nag yn neb arall yn y fynwent. Uwchben neu o dan y ddaear.

Cyffyrddodd rhywun yn ysgwydd Alecs, a throdd i weld Mr Crawley yn pwyso drosto. 'Dyna Mr Blunt,' sibrydodd y rheolwr personél. 'Fe yw cadeirydd y banc.'

Crwydrodd llygaid Alecs heibio i Blunt a draw at y Rolls-Royce. Roedd dau ddyn arall wedi cyrraedd efo fo, un ohonyn nhw'n gyrru'r modur. Gwisgai'r ddau siwt o'r un patrwm yn union, ac er nad oedd yn ddiwrnod arbennig o heulog roedden nhw'n gwisgo sbectol dywyll. Gwyliai'r ddau yr angladd â'r un wyneb difrifol. Edrychodd Alecs yn ôl ar Blunt ac yna ar y bobl eraill a ddaeth i'r fynwent. Oedden nhw wedi adnabod Ian Rider mewn gwirionedd? Pam nad oedd o erioed wedi cyfarfod yr un ohonyn nhw o'r blaen? A pham oedd o'n ei chael hi mor anodd credu bod unrhyw un ohonyn nhw go iawn yn gweithio i fanc?

' … dyn da, dyn gwlatgar. Bydd hiraeth ar ei ôl.'

Gorffennodd y ficer ei araith ymyl-y-bedd. Synnai Alecs braidd at ei ddewis o eiriau. Gwlatgar? Hynny yw, yn caru'i wlad. Ond hyd y gwyddai Alecs, prin oedd yr amser a dreuliodd Ian Rider ynddi. Yn sicr ni fu erioed yn un am chwifio Jac yr Undeb. Edrychodd o'i gwmpas gan obeithio gweld Jac, ond pwy welai'n dod tuag ato ond Blunt, yn camu'n ofalus o amgylch y bedd.

'Alecs wyt ti, mae'n rhaid.' Dim ond mymryn yn dalach nag Alecs oedd y cadeirydd. Edrychai ei groen yn afreal, rywsut; gallai'n hawdd fod wedi ei wneud o blastig. 'Alan Blunt yw fy enw i,' meddai. 'Bydde dy ewythr yn siarad amdanat yn aml.'

13

'Dyna ryfedd,' meddai Alecs. 'Wnaeth o erioed sôn amdanoch chi.'

Symudiad byr gan y gwefusau llwyd. 'Fe fydd yn chwith hebddo. Roedd yn ddyn da.'

'Am be oedd o'n dda?' gofynnodd Alecs. 'Fydda fo byth yn sôn am ei waith.'

Yn sydyn roedd Crawley yno. 'Y Rheolwr Cyllid Tramor oedd dy ewythr, Alecs,' meddai. 'Fe oedd yn gyfrifol am ein canghenne tramor. Mae'n rhaid dy fod yn gwybod hynny.'

'Dwi'n gwybod 'i fod o'n teithio'n aml,' meddai Alecs. 'A dwi'n gwybod ei fod o wastad yn ofalus iawn. Am bethau fel ei wregys diogelwch.'

'Wel, doedd e ddim yn ddigon gofalus, gwaetha'r modd.' Llosgodd llygaid Blunt i mewn i rai Alecs fel pelydrau laser, wedi eu chwyddo gan wydrau trwchus ei sbectol, ac am eiliad teimlai fel trychfil dan feicrosgob. 'Gobeithio y cawn ni gwrdd eto,' meddai Blunt. Curodd ei foch yn ysgafn ag un bys llwyd. 'Ie ...' Yna trodd ac aeth yn ôl at ei gar.

Wrth iddo ddringo i mewn i'r Rolls-Royce y digwyddodd o. Estynnodd y gyrrwr draw i agor y drws cefn ac agorodd ei siaced, gan ddangos y crys oddi tani. Ac nid y crys yn unig. Gwisgai'r dyn holster o ledr a phistol awtomatig mewn strap ynddi. Gwelodd Alecs y pistol er i'r dyn sylweddoli beth oedd wedi digwydd a sythu, gan dynnu'r siaced yn dynnach dros ei frest. Sylwodd Blunt hefyd. Trodd yn ei ôl i edrych eto ar Alecs. Llithrodd rhywbeth tebyg iawn i emosiwn dros ei wyneb. Yna aeth i mewn i'r car, cau'r drws, ac i ffwrdd ag o.

Dryll mewn angladd. Pam? Pam byddai rheolwyr banc yn cario'r fath beth?

'Dere. Bant â ni 'te.' Yn sydyn, roedd Jac wrth ei ochr. 'Ma' mynwentydd yn hala'r crîps arna i.'

'Ti'n iawn,' mwmiodd Alecs. 'Ac mae 'na ambell grîp wedi dod i'r angladd hefyd.'

Gadawsant yn dawel ac anelu am adref. Roedd y car a'u cariodd i'r cynhebrwng yn aros amdanynt, ond roedd yn well ganddynt yr awyr iach. Pymtheg munud a gymerodd iddyn nhw gerdded yn ôl i'r tŷ. Wrth iddynt droi'r gornel i'w stryd nhw, sylwodd Alecs ar fan symud dodrefn wedi'i pharcio o flaen y tŷ, y geiriau STRYKER A'I FAB wedi'u peintio ar ei hochr.

'Be mae honna'n da … ?' dechreuodd ofyn.

Y funud honno saethodd y fan i ffwrdd ar wib, yr olwynion yn llithro ar wyneb y stryd.

Ddywedodd Alecs yr un gair wrth i Jac ddadgloi'r drws a'u gollwng i'r tŷ, ond tra aeth hi i'r gegin i wneud te, cymerodd yntau gipolwg cyflym o amgylch y tŷ. Llythyr a fu ar fwrdd y cyntedd bellach yn gorwedd ar y carped. Drws a fu'n gilagored bellach wedi'i gau. Y manylion lleiaf, ond doedd llygaid Alecs yn methu dim. Roedd rhywun wedi bod yn y tŷ. Roedd Alecs bron yn siŵr o hynny.

Doedd o ddim yn gwbl sicr nes iddo gyrraedd y llawr uchaf. Roedd drws y swyddfa, a fyddai bob amser dan glo, bellach heb ei gloi. Agorodd Alecs y drws a cherdded i mewn. Roedd yr ystafell yn wag. Roedd Ian Rider wedi mynd, a phopeth arall hefyd. Pob drôr o'r ddesg, y cypyrddau, y silffoedd … roedd pob un dim a allai fod wedi egluro gwaith ei ewythr iddo wedi'i garïo oddi yno.

'Alecs …!' Jac oedd yn galw arno o'r llawr isaf.

Cymerodd Alecs un cip olaf o amgylch y stafell waharddedig, gan bendroni eto ynghylch y dyn a fu'n gweithio yno. Yna caeodd y drws ac aeth yn ei ôl i lawr y grisiau.

NEFOEDD Y CEIR

 Â Phont Hammersmith yn y golwg, gadawodd Alecs yr afon a throi ei feic drwy'r goleuadau ac i lawr yr allt tuag Ysgol Brookland. *Condor Junior Roadracer* oedd y beic, wedi'i adeiladu'n arbennig ar ei gyfer ar ei ben blwydd yn ddeuddeg oed. Beic i'r arddegau ac iddo ffrâm Reynolds 531 wedi'i gwneud yn llai, ond roedd yr olwynion yn rhai llawn maint fel y gallai deithio'n gyflym â bron ddim gwrthiant rhowlio. Gwibiodd heibio i gar Mini a throi i mewn drwy giatiau'r ysgol. Byddai'n drist pan fyddai'n tyfu'n rhy fawr i'r beic. Bu'r beic bron yn ran ohono am ddwy flynedd erbyn hyn.

Rhoddodd glo dwbl ar y beic yn y sied a cherdded i mewn i'r iard. Ysgol gyfun newydd oedd Brookland, adeilad o frics coch a gwydr, yn fodern a hyll. Gallai Alecs fod wedi mynd i unrhyw un o'r ysgolion preifat ffasiynol yn ardal Chelsea, ond roedd Ian Rider wedi penderfynu ei yrru yma. Fe fyddai'n fwy o sialens, meddai.

Mathemateg oedd gwers gyntaf y dydd. Wrth i Alecs ddod i mewn i'r dosbarth roedd yr athro, Mr Donovan, yn ysgrifennu hafaliad cymhleth ar y bwrdd du. Roedd hi'n boeth yn yr ystafell, yr haul yn llifo i mewn drwy'r ffenestri a estynnai o'r llawr i'r nenfwd a'r rheiny wedi'u gosod yno

17

gan benseiri a ddylai wybod yn well. Wrth i Alecs fynd i eistedd yn ei sedd arferol yn agos at gefn y dosbarth, meddyliodd sut yr oedd am lwyddo i fynd trwy'r wers. Sut oedd posib iddo ganolbwyntio ar alsoddeg tra bod cymaint o gwestiynau eraill yn chwyrlïo drwy'i feddwl?

Y gwn yn yr angladd. Y ffordd yr edrychodd Blunt arno. Y fan efo STRYKER A'I FAB ar hyd ei hochr. Y swyddfa wag. A'r cwestiwn mwyaf un, yr un manylyn a wrthodai fynd i ffwrdd. Y gwregys diogelwch. Doedd Ian Rider ddim yn gwisgo'i wregys diogelwch.

Ond wrth gwrs ei fod o.

Doedd Ian Rider ddim yn un am bregethu. Roedd o bob amser yn dweud y dylai Alecs benderfynu drosto'i hun am bethau. Ond roedd ganddo ryw chwilen yn ei ben ynghylch gwisgo gwregys. Mwyaf y meddyliai Alecs am y peth, lleia'n y byd roedd o'n ei gredu. Gwrthdrawiad ger cylchfan. Yn sydyn, cafodd ysfa i weld y car. O leiaf fe fyddai gweddillion y car yn profi iddo fod y ddamwain wedi digwydd go iawn, ac mai dyna'n wir sut y bu Ian Rider farw.

'Alecs?'

Edrychodd Alecs i fyny a sylweddoli bod pawb yn syllu arno. Roedd Mr Donovan newydd ofyn cwestiwn iddo. Llygadodd y bwrdd du'n gyflym gan ganolbwyntio ar y rhifau. 'Ia, syr,' meddai, 'mae *x* yn hafal i saith ac mae *y* yn un deg pump.'

Ochneidiodd yr athro mathemateg. 'Ie, Alecs. Ti'n hollol gywir. Ond a dweud y gwir, dim ond gofyn i ti agor y ffenest wnes i.'

Llwyddodd rywsut i fynd trwy weddill y dydd, ond erbyn i'r gloch olaf ganu roedd wedi penderfynu. Wrth i bawb arall lifo allan o'r adeilad aeth Alecs i swyddfa'r ysgrifenyddes a benthyg copi o'r *Yellow Pages*.

'Am beth wyt ti'n chwilio?' gofynnodd yr ysgrifenyddes. Merch ifanc yn ei dauddegau oedd Jane Bedfordshire, ac roedd hi wastad wedi hoffi Alecs.

'Iardiau darnio ceir …' Trodd Alecs y tudalennau'n gyflym. 'Pe bai car yn cael ei falu mewn damwain yn ymyl Old Street, mi fydden nhw'n mynd â fo i rywle agos, yn bydden?'

'Siŵr o fod.'

'Dyma ni …' Roedd Alecs wedi dod o hyd i'r iardiau wedi'u rhestru o dan 'Darnwyr Ceir'. Ond roedd 'na ddegau ohonyn nhw'n brwydro am sylw dros bedair tudalen.

'Ai prosiect ysgol yw hwn?' gofynnodd yr ysgrifenyddes. Roedd hi'n gwybod bod Alecs wedi colli un o'i deulu, ond doedd hi ddim yn gwybod beth oedd yr amgylchiadau.

'Rhyw fath … ' Roedd Alecs wrthi'n darllen y cyfeiriadau, ond heb weld dim byd defnyddiol.

'Mae hwn yn eitha agos at Old Street,' meddai Miss Bedfordshire, gan bwyntio at gornel y dudalen.

'Arhoswch!' Tynnodd Alecs y llyfr ato ac edrych ar yr hysbyseb o dan yr un a ddangosodd yr ysgrifenyddes iddo:

J.B. STRYKER

Nefoedd y ceir …
J.B. Stryker, Darnwyr Ceir
Lambeth Walk, LLUNDAIN
Ffôn: 020 7123 5392
… ffoniwch ni heddiw!

'Yn Vauxhall mae fan'no,' meddai Miss Bedfordshire. 'Ddim yn bell iawn o fan hyn.'

'Dwi'n gwybod.' Ond roedd Alecs wedi adnabod yr enw. J.B. Stryker. Cofiodd am y fan a welodd y tu allan i'w dŷ ar ddiwrnod yr angladd. STRYKER A'I FAB. Wrth gwrs, gallai fod yn gyd-ddigwyddiad, ond roedd yn ddechrau, o leiaf. Caeodd y llyfr. 'Wela i chi, Miss Bedfordshire.'

'Cymer di ofal.' Gwyliodd hi Alecs yn gadael, yn ceisio dyfalu pam oedd hi wedi dweud hynny. Oherwydd ei lygaid, efallai. Rhai tywyll a difrifol, a rhywbeth peryglus ynddynt. Yna canodd y ffôn ac anghofiodd amdano wrth iddi fynd yn ôl at ei gwaith.

Darn o dir diffaith y tu ôl i'r traciau rheilffordd a redai allan o Orsaf Waterloo oedd lle J. B. Stryker. Roedd wal frics uchel â darnau gwydr a gwifren rasal ar hyd y top yn cau'r lle i mewn. Roedd dwy giât bren yn hongian ar agor, ac o'r ochr arall i'r ffordd gallai Alecs weld sied gyda ffenest ddiogelwch ynddi; ymhellach draw, roedd pentyrrau simsan o geir marw a rhai wedi'u torri. Roedd popeth o unrhyw werth wedi'i dynnu oddi ar y ceir a dim ond y cyrff rhydlyd oedd ar ôl, un ar ben y llall, yn aros i gael eu bwydo i'r gwasgwr.

Roedd gwyliwr yn eistedd yn y sied, yn darllen copi o'r *Sun*. Yn y pellter taniodd injian craen gan dagu; estynnodd ei grafanc fetel am Ford Mondeo rhacslyd, gan falu'r ffenest wrth godi'r cerbyd a'i gario i ffwrdd. Canodd ffôn yn rhywle yn y sied a throdd y gwyliwr i'w ateb. Roedd hynny'n ddigon i Alecs. Gan afael yn ei feic a'i wthio wrth ei ochr, rhedodd drwy'r giatiau.

Cafodd ei hun ynghanol baw a sbwriel. Roedd arogl diesel yn dew ar y gwynt a'r peiriannau'n rhuo'n fyddarol. Gwyliodd Alecs wrth i'r craen ruthro at gar arall, ei godi yn ei grafangau dur a'i ollwng ar beiriant gwasgu. Am eiliad safodd y car ar ddwy silff. Yna cododd y silffoedd, gan droi'r car drosodd ac i lawr i'r cafn. Dyma'r gyrrwr – oedd yn eistedd mewn caban gwydr yn un pen i'r gwasgwr – yn pwyso botwm a chododd cwmwl mawr o fwg du o'r gwasgwr. Caeodd y ddwy silff am y car fel trychfil anferth yn plygu'i adenydd i'w cau. Daeth sŵn crensian wrth i'r car gael ei wasgu nes ei fod mor fach â charped wedi'i rowlio. Wedyn symudodd y gyrrwr lifer a gwasgwyd y car allan, fel past dannedd metel, a hwnnw'n cael ei dorri'n dafelli gan gyllell gudd. Syrthiodd y tafelli i'r llawr.

Gadawodd Alecs ei feic yn pwyso ar y wal a rhedodd ymhellach i mewn i'r iard, gan blygu i lawr rhwng y cyrff ceir. Roedd sŵn y peiriannau mor uchel fel y byddai'n amhosib i neb ei glywed, ond ofnai gael ei weld. Arhosodd i ddal ei wynt, gan rwbio'i law fudr dros ei wyneb. Roedd dagrau'n cronni yn ei lygaid oherwydd arogl y diesel. Roedd yr aer yr un mor aflan â'r llawr dan ei draed.

Erbyn hyn roedd yn difaru iddo fynd yno – ond yna fe'i gwelodd. Roedd BMW ei ewythr wedi'i barcio ychydig fetrau oddi wrtho, yn sefyll ar wahân i'r ceir eraill. Ar y cip cyntaf edrychai'n hollol iawn, y corff arian metelaidd heb yr un crafiad arno. Roedd yn amlwg nad oedd y car yma wedi bod mewn gwrthdrawiad marwol â lori na dim arall. Ond hwn oedd car ei ewythr yn sicr. Roedd Alecs yn adnabod y plât rhif. Brysiodd yn nes, ac yna sylwodd fod y car wedi'i ddifrodi wedi'r cwbl. Roedd y ffenest flaen wedi'i malu'n ddarnau, a phob ffenest arall ar un ochr hefyd. Cerddodd Alecs yn ei flaen heibio i'r bonet. Cyrhaeddodd yr ochr draw. A rhewodd.

Nid mewn damwain y bu Ian Rider farw. Roedd achos ei farwolaeth i'w weld yn blaen – hyd yn oed i rywun oedd heb weld peth tebyg erioed o'r blaen. Roedd cawod o fwledi wedi taro'r car yn union ar ochr y gyrrwr, gan ddarnio'r teiar blaen yna malu'r ffenestri ochr a blaen yn yfflon a thyllu i mewn i'r paneli ochr. Rhedodd Alecs ei fysedd dros y tyllau. Teimlai'r metel yn oer dan ei gnawd. Agorodd y drws ac edrych i mewn. Roedd y seddau blaen, o ledr llwyd golau, yn llanast o ddarnau gwydr, a staeniau brown tywyll arnynt. Doedd dim angen iddo ddyfalu beth oedd y staeniau. Gallai weld y cwbl. Fflach y dryll peiriant, y bwledi'n rhwygo i mewn i'r car, Ian Rider yn ysgytio yn sedd y gyrrwr …

Ond pam? Pam lladd rheolwr banc? A pham bod y llofruddiaeth wedi ei chelu? Y plismyn oedd wedi dod â'r newyddion, felly roedd yn rhaid eu bod nhw'n rhan o'r peth. Oedden nhw wedi dweud celwydd yn fwriadol? Doedd dim byd yn gwneud synnwyr.

'Fe ddylset ti fod wedi'i waredu e ddou ddiwrnod yn ôl. Gwna fe nawr.'

Mae'n rhaid fod y peiriannau wedi stopio am foment. Pe bai'r saib heb ddigwydd, fyddai Alecs byth wedi clywed y dynion yn nesáu. Edrychodd yn gyflym ar draws llyw y car ac allan i'r ochr draw. Roedd dau ohonyn nhw, y ddau'n gwisgo oferôls llac. Teimlai Alecs ei fod wedi eu gweld o'r blaen. Yn yr angladd. Gyrrwr y car oedd un, y dyn a welodd yn cario'r gwn. Roedd yn sicr o hynny.

Pwy bynnag oedden nhw, dim ond cam neu ddau oddi wrth y car oedden nhw, yn siarad yn dawel. Ychydig gamau eto ac fe fydden nhw yno. Heb feddwl, taflodd Alecs ei hun i'r unig guddfan oedd ar gael, tu mewn i'r car ei hun. Bachodd y drws â'i droed a'i gau. Yr un pryd sylwodd fod y peiriannau wedi ailgychwyn, ac na allai glywed y dynion mwyach. Roedd gormod o ofn arno i godi'i ben. Disgynnodd cysgod ar draws y ffenest wrth i'r ddau ddyn fynd heibio. Ond yna roedden nhw wedi mynd. Roedd o'n ddiogel.

Ac yna trawodd rhywbeth y BMW â'r fath ergyd nes gwneud i Alecs weiddi'n uchel, ei gorff cyfan wedi'i gipio gan don anferth o egni a'i rhwygodd oddi ar y llyw a'i daflu fel dol i'r cefn.

Yr un pryd, plygodd y to a rhwygodd tri bys metel anferth drwy groen y car fel fforch yn torri drwy blisgyn wy, gan lusgo llwch a golau haul i mewn i'r car. Crafodd un o'r bysedd yn erbyn ochr ei ben – ychydig yn nes ac fe fyddai wedi cracio'i benglog. Gwaeddodd Alecs wrth i'r gwaed redeg dros ei lygad. Ceisiodd symud, yna cafodd ei ysgytio'n ôl eto wrth i'r car gael ei halio oddi ar y llawr a'i hongian yn uchel yn yr awyr.

Ni allai weld. Ni allai symud. Ond roedd ei stumog yn troi wrth i'r car droelli mewn cylch, wrth i'r metel grensian ac wrth i'r golau chwyrlïo. Roedd wedi cael ei godi gan y craen. Roedd y car yn mynd i gael ei roi i mewn yn y gwasgwr. Ac Alecs y tu mewn iddo.

Ceisiodd godi, er mwyn torri ffenest â'i ddwrn. Ond roedd crafanc y craen wedi gwasgu'r to, gan ddal ei goes chwith ac efallai ei thorri. Ni allai deimlo unrhyw beth. Cododd un llaw a llwyddo i ddyrnu'r ffenest gefn, ond roedd yn amhosib torri'r gwydr, a hyd yn oed pe bai'r gweithwyr yn syllu'n syth ar y BMW, doedd dim gobaith iddyn nhw weld unrhyw symudiad y tu mewn iddo.

Ehedodd y car ar draws iard y darnwr cyn i Alecs deimlo'r ergyd ysgytwol wrth i'r craen ei ollwng ar silffoedd haearn y gwasgwr. Ceisiodd Alecs ymladd yn erbyn ei wendid a'i anobaith a meddwl beth i'w wneud. Roedd newydd weld car yn cael ei brosesu funud neu ddau yn gynharach. Unrhyw eiliad rŵan, fe fyddai'r gyrrwr yn tipio'r car i'r cafn siâp arch. Lefort Shear oedd enw'r peiriant, guillotine araf. Dim ond pwyso botwm, ac fe fyddai'r ddwy adain yn cau am y car â phwysedd o bum can tunnell. Byddai'r car, ac Alecs y tu mewn iddo, yn cael ei wasgu i'r fath raddau fel na fyddai neb yn ei nabod. Ac yna byddai'r metel toredig – a'r cnawd – yn cael ei dorri'n dafelli. Fyddai neb byth yn gwybod beth ddigwyddodd iddo.

Brwydrodd â'i holl nerth i ddod yn rhydd. Ond roedd y to'n rhy iool. Roedd ei goes a rhan o'i gefn wedi eu dal. Yna trodd y byd i gyd ar ei ochr a theimlodd Alecs ei hun yn syrthio i'r tywyllwch. Roedd y silffoedd wedi codi. Llithrodd y BMW i un ochr a syrthio'r ychydig fetrau i mewn i'r cafn. Teimlodd Alecs y metel o'i gwmpas i gyd yn rhoi ac yn plygu. Ffrwydrodd y ffenest gefn a glaniodd cawod o ddarnau gwydr drosto. Llosgai'r llwch a'r mwg diesel yn ei drwyn a'i lygaid. Erbyn hyn dim ond ychydig o olau dydd oedd i'w weld, ond wrth iddo edrych drwy'r cefn gallai weld pen dur anferth y piston a fyddai'n gwthio gweddillion y car drwy'r allanfa.

Newidiodd tôn peiriant y Lefort Shear wrth

iddo baratoi am yr act olaf. Crynodd yr adenydd metel. Ymhen eiliad neu ddwy byddai'r ddwy adain yn cwrdd, gan wasgu'r BMW fel bag papur.

Tynnodd Alecs â'i holl nerth a synnu pan ddaeth ei goes yn rhydd. Cymerodd eiliad – un eiliad werthfawr – i sylweddoli beth oedd wedi digwydd. Pan syrthiodd y car i'r cafn, roedd wedi glanio ar ei ochr. Roedd y to wedi plygu eto ... digon i'w ryddhau. Teimlodd â'i law am y drws – ond i ddim pwrpas, wrth gwrs. Roedd y drysau wedi'u plygu'n ormodol. Fydden nhw byth yn agor. Y ffenest gefn! A'r gwydr wedi mynd gallai wasgu drwy'r ffrâm, ond dim ond os symudai'n gyflym ...

Dechreuodd yr adenydd symud. Sgrechiodd y BMW wrth i ddwy wal o ddur solet ei wasgu'n ddidrugaredd. Sŵn malu gwydr. Torrodd echel un o'r olwynion â sŵn fel taran. Caeodd y tywyllwch amdano. Cydiodd Alecs yn beth oedd ar ôl o'r sedd gefn. O'i flaen gallai weld un triongl o olau, yn mynd yn llai ac yn llai o hyd. Taflodd ei hun ymlaen â'i holl nerth, gan lwyddo i wthio â'i droed ar y gêr. Teimlai bwysau'r ddwy wal yn gwasgu amdano. Tu ôl iddo nid car oedd y car erbyn hyn, ond dwrn rhyw anghenfil echrydus yn cipio amdano fe, y trychfil bach.

Aeth ei ysgwyddau drwy'r triongl, allan i'r golau. Ond roedd ei goesau'n dal i fod tu mewn. Gwaeddodd Alecs yn uchel a rhoi plwc ymlaen i'w ben-glin. Daeth ei goesau'n rhydd, yna'i draed, ond ar yr eiliad olaf daliwyd un esgid ar y triongl bach a diflannu'n ôl i mewn i'r car. Dychmygodd Alecs ei fod yn clywed sŵn y lledr yn cael ei wasgu, ond roedd hynny'n amhosib. Glynodd wrth wyneb du, llithrig y platfform gwylio yng nghefn y peiriant gwasgu, llusgodd ei hun yn rhydd a llwyddo i sefyll ar ei draed.

Roedd wyneb yn wyneb â dyn oedd mor dew fel ei fod prin yn ffitio yng nghaban bach y gwasgwr. Pwysai otumog y dyn yn erbyn y gwydr, ei ysgwyddau wedi eu gwasgu i'r corneli. Roedd sigarét yn hongian ar ei wefus isaf wrth i'w geg agor ac wrth i'w lygaid rythu. O'i flaen roedd bachgen yn gwisgo carpiau yr hyn a fu unwaith yn wisg ysgol. Roedd un llawes wedi ei rhwygo i ffwrdd yn gyfan gwbl a hongiai ei fraich, yn strempiau o waed ac olew, yn llipa wrth ei ochr. Erbyn i'r gyrrwr sylwi ar hyn, dod ato'i hun a diffodd y peiriant, roedd Alecs wedi mynd.

Straffaglodd i lawr ochr y gwasgwr a glanio ar yr un droed oedd ag esgid amdani. Sylwodd ar y darnau metel miniog yn gorwedd ymhobman. Os na fyddai'n ofalus byddai'n torri'r droed arall.

28

Roedd ei feic ble'r oedd wedi ei adael, yn pwyso'n erbyn y wal, ac yn ofalus iawn, gan hanner hopian, anelodd amdano. Clywodd gaban y gwasgwr y tu ôl iddo'n agor a llais dyn yn gweiddi rhybudd i'r lleill. Yr un pryd, rhedodd dyn arall ymlaen a sefyll rhwng Alecs a'i feic. Gyrrwr y car oedd hwn, y dyn roedd Alecs wedi ei weld yn yr angladd. Gwgodd ar Alecs, ei wyneb yn hyll a bygythiol; gwallt seimllyd, llygaid dyfrllyd, croen di-liw.

'Be ti'n feddwl …!' dechreuodd. Llithrodd ei law dan ei siaced. Cofiodd Alecs am y dryll a dechreuodd symud ar unwaith, heb aros i feddwl dim.

Roedd wedi dechrau cael gwersi Karate pan oedd yn chwech oed. Un pnawn, heb unrhyw eglurhad, roedd Ian Rider wedi mynd ag Alecs i glwb lleol am ei wers gyntaf a bu'n mynd yno, unwaith yr wythnos, byth oddi ar hynny. Dros y blynyddoedd roedd wedi pasio drwy'r gwahanol graddau *Kyu* – myfyriwr. Ond dim ond y flwyddyn ddiwethaf y daeth yn *Dan* gradd gyntaf, sef gwregys du. Pan gyrhaeddodd i Ysgol Brookland gyntaf roedd ei olwg a'i acen wedi denu sylw bwlis yr ysgol – tri llabwst un ar bymtheg oed. Roedden nhw wedi ei gornelu tu ôl i'r sied feiciau un tro. Roedd y cyfan drosodd mewn llai na munud, ac wedi'r sgarmes fe adawodd un o'r bwlis yr ysgol a chafodd neb drafferth gan yr un o'r ddau arall byth wedyn.

Cododd Alecs un goes, troi ei gorff i'r ochr a tharo. Maen nhw'n dweud mai'r gic yn ôl – *Ushiro-geri* – yw'r gic fwyaf marwol mewn Karate. Trawodd ei droed yn erbyn stumog y dyn â'r fath nerth fel na chafodd hwnnw gyfle i weiddi hyd yn oed. Chwyddodd ei lygaid, ac agorodd ei geg mewn syndod. Yna, â'i law yn dal i fod hanner ffordd i mewn i'w siaced, syrthiodd y dyn yn swp i'r llawr.

Llamodd Alecs drosto, cydio yn ei feic a neidio arno. Yn y pelltor roedd tï ydydd dyn yn anelu amdano. Clywodd waedd un gair, 'Stopia!' Yna daeth clec a chwipiodd bwled heibio iddo. Gafaelodd Alecs yn dynn yn y llyw a phedlo nerth ei goesau. Saethodd y beic ymlaen, dros y rwbel ac allan drwy'r giatiau. Cymerodd gip dros ei ysgwydd. Doedd neb wedi'i ddilyn.

Wedi colli un esgid, ei ddillad yn garpiau a'i gorff yn strempiau o waed ac olew, roedd Alecs yn gwybod bod golwg druenus arno. Ond yna meddyliodd yn ôl i'w eiliadau olaf yn y gwasgwr ceir ac ochneidiodd mewn rhyddhad. Gallai fod yn edrych lawer gwaeth.

Ffoniodd rhywun o'r banc y diwrnod wedyn.

'John Crawley sy 'ma. Wyt ti'n 'y nghofio i? Rheolwr Personél yn y Royal & General. Roedden ni'n meddwl tybed a allet ti ddod mewn?'

'Dod mewn?' Doedd Alecs heb orffen gwisgo amdano, ac roedd yn hwyr i'r ysgol yn barod.

'Pnawn heddiw. Rydyn ni wedi dod o hyd i ryw bapure'n perthyn i dy ewythr. Ry'n ni angen sgwrs 'da ti ... ynghylch dy sefyllfa di.'

Oedd yna rywbeth ychydig yn fygythiol yn llais y dyn? 'Faint o'r gloch pnawn 'ma?' gofynnodd Alecs.

'Fydde chwarter wedi pedwar yn iawn? Yn Liverpool Street y'n ni. Allwn ni hala tacsi ...'

'Fydda i yna,' meddai Alecs. 'Ac mi ddo' i ar y tiwb.'

Rhoddodd y ffôn i lawr.

'Pwy oedd 'na?' galwodd Jac o'r gegin. Roedd hi'n gwneud brecwast i'r ddau ohonyn nhw, ond roedd y ddau'n pryderu faint mwy y gallai hi aros efo Alecs. Roedd ei chyflog heb ei dalu. Dim ond ei harian ei hun oedd ganddi i brynu bwyd a thalu am gadw'r tŷ. Gwaeth fyth, roedd ei fisa hi ar fin dod i ben. Cyn bo hir fyddai hi ddim yn cael aros yn y wlad, hyd yn oed.

'Y banc oedd yna.' Daeth Alecs i mewn i'r gegin, yn gwisgo'i ddillad ysgol sbâr. Nid oedd wedi dweud wrthi beth ddigwyddodd yn yr iard darnio ceir. Doedd o ddim hyd yn oed wedi sôn wrthi am y swyddfa wag. Roedd gan Jac ddigon o broblemau. 'Dwi'n mynd yno pnawn 'ma,' meddai.

'Hoffet ti i mi ddod hefyd?'

'Na. Fydda i'n iawn.'

Cerddodd allan o orsaf tiwb Liverpool Street ychydig ar ôl chwarter wedi pedwar y prynhawn hwnnw, yn dal i wisgo'i iwnifform sbâr: siaced glas tywyll, trowsus llwyd, tei streips. Daeth o hyd i'r banc heb drafferth. Roedd y Royal & General yn llenwi adeilad uchel, hen ffasiwn yr olwg, a baner Jac yr Undeb yn chwifio ar bolyn ryw bymtheg llawr i fyny. Roedd plât enw wedi'i wneud o bres ar y wal ger y brif fynedfa, a throellai camera diogelwch yn araf dros y palmant.

Arhosodd Alecs o flaen y camera. Petrusodd am eiliad a meddwl ai camgymeriad oedd mynd i mewn. Os mai'r banc oedd yn gyfrifol rywsut am farwolaeth Ian Rider, efallai eu bod wedi ei alw o yma er mwyn trefnu rhywbeth tebyg iddo yntau. Na. Fyddai'r banc ddim yn ei ladd.

Doedd ganddo fo ddim cyfrif yno hyd yn oed. Aeth i mewn.

Mewn swyddfa ar lawr un deg saith, neidiodd y llun ar y monitor diogelwch a newid wrth i Gamera Stryd #1 dorri'n llyfn drosodd i Gamerâu Derbynfa #2 a #3 ac wrth i Alecs symud o'r golau dydd llachar tu allan i'r cysgodion oer tu mewn. Estynnodd dyn a eisteddai tu ôl i ddesg ei law a phwyso botwm; chwyddodd y camera'r llun nes bod wyneb Alecs yn llenwi'r sgrin.

'Fe ddaeth e, felly,' meddai cadeirydd y banc yn dawel.

'Hwn yw'r bachgen?' gofynnodd y ddynes ganol oed wrth ei ymyl. Roedd rhywbeth yngylch siâp ei phen oedd yn gwneud i chi feddwl am daten, ac roedd ei gwallt du'n edrych fel pe bai wedi ei dorri gyda help siswrn di-fin a phowlen bwdin. Roedd ei llygaid hefyd bron yn ddu. Roedd yn gwisgo siwt lwyd, ffurfiol ac yn sugno mint. 'Ydych chi'n siŵr am hyn, Alan?' gofynnodd.

Nodiodd Alan Blunt. 'O ydw. Yn hollol siŵr. Wyt ti'n gwybod be i'w wneud?' I'r gyrrwr car y gofynnodd y cwestiwn yma; safai hwnnw'n anghyfforddus, yn gwyro ymlaen ychydig. Roedd ei wyneb yn wyn fel y galchen. Roedd wedi bod felly byth er pan geisiodd stopio Alecs yn yr iard darnio ceir. 'Ydw, syr,' meddai.

'Yna gwna fo,' meddai Blunt, heb dynnu'i lygaid oddi ar y sgrin.

Yn y Dderbynfa, roedd Alecs wedi gofyn am John Crawley, ac roedd bellach yn eistedd ar soffa ledr, yn meddwl tybed pam bod cyn lleied o bobl yn mynd i mewn ac allan o'r lle. Roedd y Dderbynfa'n eang, gyda llawr o farmor brown, a thair lifft ar un ochr; uwchben y ddesg, roedd rhes o glociau'n dangos yr amser ym mhob dinas bwysig dros y byd. Ond gallai wedi bod yn dderbynfa i unrhyw le. I ysbyty. I neuadd gyngerdd. Hyd yn ood i long deithio. Roedd yn lle hollol ddigymeriad.

Agorodd un o'r llifftiau â sŵn ping, a daeth Crawley i'r golwg yn ei siwt arferol, ond â thei gwahanol. 'Rwy'n flin am dy gadw di i aros, Alecs,' meddai. 'Wedi dod yn syth o'r ysgol wyt ti?'

Cododd Alecs ar ei draed heb ddweud dim, gan adael i'w ddillad ysgol ateb cwestiwn y dyn.

'Dere i ni fynd lan i'm swyddfa i,' meddai Crawley. Estynnodd ei law. 'Fe gymerwn ni'r lifft.'

Sylwodd Alecs ddim ar y pedwerydd camera y tu mewn i'r lifft, ond roedd hwnnw wedi ei guddio ar yr ochr arall i'r drych dwy-ffordd a orchuddiai wal gefn y lifft. Ni welodd chwaith y dwysäwr gwresol nesaf at y camera. Ond fe edrychodd yr ail beiriant yma arno a thrwyddo tra oedd o'n sefyll yno, gan ei droi'n swp dirgrynnol o wahanol liwiau, a dim un o'r lliwiau hynny'n golygu dur caled dryll neu gyllell. Mewn llai o amser nag y cymerodd Alecs i gau ac agor ei lygaid roedd y peiriant wedi trosglwyddo'r wybodaeth i gyfrifiadur a oedd wedi ei gwerthuso'n syth ac yna wedi gyrru ei signal ei hun yn ôl i'r cylchedau a reolai'r lifft: *Mae'n iawn. Mae o'n ddi-arf. Ymlaen i lawr 15.*

'Dyma ni!' Gwenodd Crawley a hebrwng Alecs allan o'r lifft i mewn i goridor hir oedd â llawr pren, di-garped, a goleuadau modern. Gwelai gyfres o ddrysau, a darluniau haniaethol llachar yn crogi mewn fframiau rhyngddynt. 'Ffordd hyn i'm swyddfa i.' Dangosodd Crawley'r ffordd.

Wedi iddynt fynd heibio i dri drws stopiodd Alecs. Roedd plât enw ar bob drws ac roedd yn nabod hwn – 1504: Ian Rider. Llythrennau gwyn ar blastig du.

Nodiodd Crawley'n drist. 'Ie, 'ma ble roedd dy wncwl yn gwitho. Bydd colled fawr ar ei ôl e.'

'Ga i fynd i mewn?' gofynnodd Alecs.

Edrychodd Crawley'n syn. 'Pam wyt ti'n moyn gwneud 'nny?'

'Hoffwn i weld lle roedd o'n gweithio.'

'Rwy'n flin.' Ochneidiodd Crawley. 'Mae'r drws wedi'i gloi a 'sdim allwedd 'da fi. Rhyw dro eto, falle.' Gwnaeth ystum arall â'i law. Roedd yn defnyddio'i ddwylo fel consuriwr, fel pe bai ar fin datguddio ffan o gardiau. 'Y swyddfa drws nesa yw fy un i. Fan hyn.'

Aethant i mewn i 1505. Ystafell fawr sgwâr oedd hon, a thair ffenest yn edrych allan dros yr orsaf. Daliodd llygad Alecs liwiau coch a glas yn hedfan tu allan a chofiodd am y faner a welodd o'r stryd. Roedd polyn y faner y tu allan i swyddfa Crawley. Tu mewn roedd desg a chadair, dwy soffa, oergell yn y gornel, pâr o brintiadau ar y wal. Swyddfa ddiflas ecseciwtif. Perffaith ar gyfer ecseciwtif diflas.

'Os gweli di'n dda, Alecs. Eistedda,' meddai Crawley. Aeth draw at yr oergell. 'Ga i estyn diod i ti?'

'Oes ganddoch chi *Coke*?'

'Oes.' Agorodd Crawley dun, llenwi gwydryn a'i roi i Alecs. 'Iâ?'

'Dim diolch.' Cymerodd Alecs lymaid. Nid blas *Coke* oedd arno. Nid *Pepsi* hyd yn oed. Blas siwgwraidd, ychydig-rhy-felys cola archfarchnad, penderfynodd Alecs, gan ddifaru na ofynnodd am ddŵr. 'Felly am be rydach chi isio siarad efo fi?'

'Ewyllys dy wncwl – '

Canodd y ffôn, a chan arwyddo eto â'i ddwylo, y tro hwn i fynegi 'esgusodwch fi', atebodd Crawley. Siaradodd am rai eiliadau cyn rhoi'r ffôn i lawr. 'Rwy'n flin iawn, Alecs. Mae'n rhaid i mi fynd 'nôl lawr i'r Dderbynfa. Oes ots 'da ti?'

'Ddim o gwbl.' Eisteddodd Alecs yn ôl ar y soffa.

'Rhyw bum muned fydda i,' ac aeth Crawley allan gan nodio'i ymddiheuriad.

Arhosodd Alecs am eiliad neu ddwy. Yna tywalltodd y cola i mewn i bot planhigyn a chodi ar ei draed. Aeth draw at y drws ac allan i'r coridor. Daeth dynes i'r golwg yn y pen draw yn cario pentwr o bapurau ac yna diflannodd drwy un o'r drysau. Doedd dim golwg o Crawley. Symudodd Alecs yn gyflym at ddrws 1504 a throi'r bwlyn. Ond roedd Crawley'n dweud y gwir. Roedd wedi'i gloi.

Aeth Alecs yn ôl i mewn i swyddfa Crawley. Fe fyddai wedi rhoi unrhyw beth am gael treulio ychydig funudau ar ei ben ei hun yn swyddfa Ian Rider. Roedd rhywun yn credu bod gwaith y dyn yn ddigon pwysig i'w gadw'n gudd oddi wrtho. Roedden nhw wedi torri i mewn i'w dŷ ac wedi mynd â phob dim welson nhw yn ei swyddfa yno.

Efallai bod ateb i'w gael yn yr ystafell drws nesa. Beth yn union fu Ian Rider yn rhan ohono? Ac ai dyna'r rheswm ei fod wedi cael ei ladd?

Symudodd y faner eto yn yr awel, gan dynnu sylw Alecs; aeth draw at y ffenest. Estynnai'r polyn o wal yr adeilad union hanner ffordd rhwng ystafell 1504 a 1505. Pe bai'n gallu cyrraedd y polyn rywsut, dylai allu neidio ar y sil a redai ar hyd ochr yr adeilad y tu allan i ystafell 1504. Wrth gwrs, roedd o'n bymtheg llawr i fyny. Pe bai'n neidio ac yn methu fe fyddai ganddo tua saith deg metr i syrthio. Roedd yn syniad dwl. Ddim hyd yn oed werth meddwl amdano.

Agorodd Alecs y ffenest a dringo allan. Gwell peidio meddwl am y peth o gwbl. Dim ond ei wneud o. Wedi'r cyfan, petai o ar y llawr isaf neu ar ffrâm ddringo ar iard yr ysgol, chwarae plant fyddai'r peth. Dim ond y wal frics serth yn ymestyn i lawr hyd at y palmant, y ceir a'r bysiau'n symud fel teganau mor bell oddi tano, a'r gwynt yn chwythu'n gryf ar ei wyneb oedd yn gwneud y peth yn ddychrynllyd. Paid â meddwl am y peth. Gwna fo.

Gollyngodd Alecs ei hun i'r sil y tu allan i swyddfa Crawley. Roedd ei ddwylo tu ôl iddo, yn gafael yn y sil ffenest. Anadlodd yn ddwfn. A neidio.

Wrth i Alecs ei daflu ei hun i'r gofod, daliwyd

ef gan gamera wedi'i osod mewn swyddfa ar draws y ffordd. Dau lawr yn uwch i fyny, roedd Alan Blunt yn dal i eistedd o flaen y sgrin. Chwarddodd yn fodlon. Doedd dim hiwmor yn y sŵn. 'Dwedais i wrthych chi,' meddai. 'Mae'r bachgen yn eithriadol.'

'Mae'r bachgen yn hollol wallgo,' atebodd y ddynes.

'Wel, efallai mai dyna sydd ei angen arnon ni.'

'Ydach chi am eistedd yn fanna a'i wylio fo'n ei ladd ei hun?'

'Dwi am eistedd yma a gobeithio y gwneith o fyw.'

Roedd Alecs wedi camfarnu'r naid. Roedd wedi methu polyn y faner o un centimetr, a byddai wedi plymio i lawr i'r palmant heblaw bod ei ddwylo wedi llwyddo i gydio yn y faner ei hun. Erbyn hyn roedd yn hongian heb ddim o dan ei draed ond awyr iach. Yn araf, a gydag ymdrech aruthrol, tynnodd ei hun i fyny, ei fysedd yn tyllu i mewn i'r defnydd. Llwyddodd rywsut i ddringo'n ôl ar ben y polyn heb edrych i lawr. Gobeithiai na fyddai neb oedd yn pasio ar y stryd islaw yn edrych i fyny.

Daeth pethau'n haws ar ôl hynny. Cododd ei hun nes bod ei draed ar y polyn, yna taflodd ei hun draw tua'r sil tu allan i swyddfa Ian Rider.

Roedd angen gofal. Rhy bell i'r chwith ac fe fyddai'n taro ochr yr adeilad, ond rhy bell y ffordd arall ac fe fyddai'n syrthio. Fel y digwyddodd, glaniodd yn berffaith, gan gydio yn y sil â'i ddwy law ac yna tynnu'i hun i fyny nes ei fod gyferbyn â'r ffenest. Dim ond bryd hynny y meddyliodd tybed a oedd y ffenest wedi'i chloi. Os felly, byddai'n rhaid iddo fynd yn ôl.

Doedd hi ddim. Llithrodd Alecs y ffenest yn agored a'i dynnu'i hun i fyny ac i mewn i'r ail swyddfa, a oedd mewn sawl ffordd yn efaill i'r gyntaf. Roedd yr un dodrefn ynddi, yr un carped, a hyd yn oed brintiad tebyg ar y wal. Aeth draw at y ddesg ac oistedd. Y peth cyntaf a welodd oedd ffotograff ohono'i hun, wedi ei dynnu'r haf blaenorol ar ynys Guadeloupe, yn y Caribî, ble bu'n plymio. Roedd ail lun wedi'i osod i mewn yng nghornel y ffrâm. Alecs, tua phump neu chwech oed. Cafodd ei synnu gan y lluniau. Nid oedd erioed wedi meddwl am Ian Rider fel dyn sentimental.

Cymerodd gip ar ei oriawr. Rhyw dri munud oedd wedi mynd heibio er pan aeth Crawley o'r swyddfa, a dywedodd y byddai'n ôl ymhen pump. Os oedd am ddod o hyd i rywbeth yma, roedd yn rhaid dod o hyd iddo'n gyflym. Agorodd ddrôr yn y ddesg. Roedd pump neu chwech o ffeiliau trwchus y tu mewn iddo.

Tynnodd Alecs nhw allan a'u hagor. Gwelodd ar unwaith nad oedd ganddynt ddim o gwbl i'w wneud â bancio.

Roedd y gyntaf wedi ei marcio: GWENWYNAU NERFAU – DULLIAU NEWYDD O GUDDIO A LLEDAENU. Rhoddodd Alecs y ffeil ar un ochr ac edrychodd ar yr ail. LLOFRUDDIAETHAU – PEDAIR ASTUDIAETH ACHOS. Gan fynd yn fwy ac yn fwy dryslyd, byseddodd yn gyflym drwy'r ffeiliau eraill, oedd yn ymwneud â gwrth- derfysgaeth, symud wraniwm ar draws Ewrop a dulliau cwestiynu. Darllenai'r label ar y ffeil olaf, yn syml: TARANDON.

Roedd Alecs ar fin ei darllen pan agorodd y drws yn sydyn a cherddodd dau ddyn i mewn. Crawley oedd un. Y llall oedd y gyrrwr o'r iard darnio ceir. Gwyddai Alecs nad oedd unrhyw bwrpas iddo ddechrau egluro beth oedd yn ei wneud. Roedd yn eistedd tu ôl i'r ddesg a'r ffeil Tarandon yn agored yn ei ddwylo. Ond sylweddolodd yr un pryd nad oedd y ddau ddyn yn synnu o'i weld yno. Roedd yn amlwg yn ôl y ffordd y daethant i mewn i'r ystafell, eu bod yn disgwyl iddo fod yno.

'Nid banc ydi hwn,' meddai Alecs. 'Pwy ydach chi? Oedd fy ewyrth yn gweithio i chi? Chi laddodd o?'

'Cyment o gwestiyne,' mwmiodd Crawley. 'Ond mae arna i ofan nad oes dim awdurdod 'da ni i roi'r atebion i ti.'

Cododd y dyn arall ei law a gwelodd Alecs fod gwn ganddo. Cododd ar ei draed y tu ôl i'r ddesg, gan ddal y ffeil fel petai'n amddiffyn ei hun. 'Na –' dechreuodd.

Taniodd y dyn. Doedd dim ffrwydrad. Poerodd y gwn at Alecs a theimlodd rhywbeth yn taro'i galon â chlep. Agorodd ei law a syrthiodd y ffeil i'r llawr. Yna plygodd ei goesau oddi tano, aeth yr ystafell yn gam a syrthiodd yn ôl i wagle.

'FELLY, BETH AMDANI?'

Agorodd Alecs ei lygaid. Roedd yn dal yn fyw, felly! Syrpreis braf oedd hynny.

Gorweddai ar wely mewn ystafell fawr, gyffordus. Roedd y gwely'n fodern, ond yr ystafell yn un hen, a thrawstiau'n rhedeg ar draws y nenfwd, lle tân o garreg, a ffenestri cul mewn fframiau pren addurnol. Roedd wedi gweld ystafelloedd fel hon mewn llyfrau wrth iddo astudio Shakespeare. Dyfalai mai o oes Elisabeth 1 roedd yr adeilad yn dyddio. Roedd yn rhaid ei fod allan yn y wlad yn rhywle. Doedd dim sŵn cerbydau. Gallai weld coed y tu allan.

Roedd rhywun wedi tynnu amdano. Roedd ei wisg ysgol wedi mynd. Yn lle honno roedd yn gwisgo pyjamas llac, a deimlai fel rhai sidan. Yn ôl y golau tu allan dyfalai mai gyda'r nos cynnar oedd hi. Daeth o hyd i'w oriawr ar y bwrdd bach ger y gwely ac estynnodd amdani. Roedd hi'n hanner dydd. Tua hanner awr wedi pedwar y cafodd ei saethu – a hynny, mae'n rhaid, gyda dart â chyffur ynddo. Roedd wedi colli noson gyfan a hanner diwrnod.

Roedd ystafell ymolchi yn arwain oddi ar yr ystafell wely; teils gwyn, llachar a chawod tu ôl i silindr o wydr a chrôm. Tynnodd Alecs y

43

pyjamas a sefyll am bum munud dan lif y dŵr chwilboeth. Teimlai'n well ar ôl hynny.

Aeth yn ôl i'r ystafell wely ac agor y cwpwrdd. Roedd rhywun wedi bod yn ei gartref yn Chelsea. Roedd ei ddillad i gyd yma, wedi eu hongian yn daclus. Tybed beth oedd Crawley wedi ei ddweud wrth Jac; mae'n siŵr y byddai wedi dyfeisio rhyw stori i egluro pam y diflannodd mor ddirybudd. Estynnodd drowsus combat *Gap*, crys chwys a phâr o drênyrs *Nike*, gwisgodd amdano ac yna eistedd ar y gwely a disgwyl.

Tua chwarter awr wedyn clywodd gnoc ac agorwyd y drws. Daeth dynes ifanc Asiaidd mewn gwisg nyrs i mewn gan wenu.

'O, wedi deffro. Ac wedi gwisgo. Sut ydach chi'n teimlo? Ddim yn rhy benysgafn, gobeithio? Dewch gyda mi, os gwelwch chi'n dda. Mae Mr Blunt yn eich disgwyl chi i ginio.'

Doedd Alecs heb ddweud yr un gair wrthi. Dilynodd hi allan o'r ystafell, ar hyd coridor ac i lawr rhyw risiau. Elisabethaidd yn wir oedd y tŷ, â phaneli pren ar hyd y coridorau, siandelirau addurnedig a pheintiadau olew o hen ddynion barfog mewn tiwnics a ffrils. Arweiniai'r grisiau i lawr i ystafell uchel efo galeri, rŷg wedi ei osod dros lawr o gerrig gwastad, a lle tân digon mawr i barcio car ynddo. Roedd bwrdd pren hir a gloyw yno, wedi ei osod i dri. Roedd Alan Blunt a dynes bryd tywyll, un wrywaidd braidd yr olwg, oedd wrthi'n tynnu'r papur oddi ar beth melys, ar eu heistedd yn barod. Mrs Blunt oedd hon, tybed?

'Alecs.' Gwenodd Blunt yn gyflym, fel pe bai hynny'n rhywbeth nad oedd yn ei fwynhau. 'Diolch am ddod aton ni.'

Eisteddodd Alecs. 'Roesoch chi ddim llawer o ddewis i mi.'

'Ie. Wn i ddim yn iawn beth oedd syniad Crawley yn dy saethu di fel yna, ond dyna'r ffordd hawsaf, mae'n debyg. Hoffwn i gyflwyno fy nghyd-weithwraig, Mrs Jones.'

Nodiodd y ddynes ar Alecs. Roedd fel pe bai'n astudio Alecs yn fanwl â'i llygaid, ond ddywedodd hi 'run gair.

'Pwy dach chi?' gofynnodd Alecs. 'Be dach chi isio efo fi?'

'Mae gennyt ti lawer iawn o gwestiynau, rwy'n siŵr. Ond gad i ni fwyta'n gyntaf.' Mae'n rhaid bod Blunt wedi pwyso rhyw fotwm cudd, neu fod rhywun yn gwrando, achos yr eiliad honno agorodd ddrws a daeth gwas – mewn siaced wen a throwsus du – i'r golwg yn cario tri phlât. 'Gobeithio dy fod yn bwyta cig,' meddai Blunt wedyn. *'Carré d'agneau* ydi o heddiw.'

'Cig oen wedi'i rostio, dach chi'n feddwl.'

'Ffrancwr ydi'r *chef*.'

Arhosodd Alecs nes bod y bwyd ar y bwrdd. Cymerodd Blunt a Mrs Jones win coch. Cadwodd yntau at y dŵr. O'r diwedd dechreuodd Blunt siarad.

'Fel rwyt ti wedi dyfalu, mae'n siŵr,' meddai, 'nid banc yw'r Royal & General. Mewn gwirionedd, nid yw'n bod o gwbl … nid yw'n ddim ond twyll. Ac mae'n dilyn, wrth gwrs, nad oedd gan dy ewythr ddim i'w wneud â bancio. Gweithio i mi oedd o. Fy enw i, fel y dywedais wrthyt yn yr angladd, yw Blunt. Fi yw Prif Weithredwr Adran Gweithrediadau Arbennig MI6. Ac roedd dy owythr, o ddllffyg gwell enw arno, yn ysbïwr.'

Ni allai Alecs guddio'r wên. 'Hynny yw … fel James Bond?'

'Digon tebyg, er, dydyn ni ddim yn defnyddio rhifau. Dwbl 0 a hynna i gyd. Asiant yn y maes oedd o, wedi'i hyfforddi i'r eithaf, ac yn ddyn dewr iawn. Fe gwblhaodd aseiniadau'n llwyddiannus yn Iran, Washington, Hong Kong a Cairo – i enwi rhai yn unig. Mae hyn yn dipyn o sioc i ti, mae'n siŵr.'

Meddyliodd Alecs am y dyn a fu farw, am yr hyn a wyddai amdano. Am ba mor breifat oedd o. Am ei deithiau tramor hir. Am yr adegau y daeth adref wedi'i glwyfo. Braich mewn rhwymyn un tro. Clais ar ei wyneb dro arall. Damweiniau bach, dyna a ddywedai wrth Alecs. Ond erbyn hyn roedd y cyfan yn gwneud synnwyr. 'Dydi o ddim yn sioc i mi,' meddai.

Torrodd Blunt damaid taclus o gig. 'Ar ei dasg ddiwethaf fe ddaeth lwc Ian Rider i ben,' meddai wedyn. 'Roedd wedi bod yn gweithio yn y dirgel yma yn Lloegr, yng Nghernyw, ac roedd yn gyrru'n ôl i Lundain i roi adroddiad pan gafodd ei ladd. Fe welaist ei gar yn yr iard.'

'Stryker a'i Fab,' mwmiodd Alecs. 'Pwy ydyn nhw?'

'Pobl rydyn ni'n eu defnyddio, dyna i gyd. Mae terfynau ar ein gwario ni. Mae'n rhaid i ni is-gontractio peth o'n gwaith. Mrs Jones yn fan hyn yw ein Pennaeth Gweithrediadau Arbennig. Hi roddodd ei aseiniad olaf i'th ewythr.'

'Rydan ni'n drist iawn ein bod wedi ei golli, Alecs.' Siaradodd y ddynes am y tro cyntaf. Doedd hi ddim yn swnio'n drist iawn o gwbl.

'Ydach chi'n gwybod pwy laddodd o?'

'Ydan.'

'Ydach chi am ddweud wrtha i?'

'Na. Dim eto.'

'Pam ddim?'

'Achos nad oes rhaid i ti wybod. Dim ar hyn o

bryd.'

'Iawn.' Rhoddodd Alecs ei gyllell a'i fforc i lawr. Doedd o heb fwyta cegaid o fwyd. 'Ysbïwr oedd f'ewythr. Diolch i chi, mae o wedi marw. Mi wnes i ddarganfod gormod, felly dyma chi'n fy nharo i'n anymwybodol a dod â fi i fan hyn. Lle ydw i, gyda llaw?'

'Un o'n canolfannau hyfforddi yw fan hyn,' meddai Mrs Jones.

'Dach chi wedi dod â fi i fan'ma am nad ydach chi eisiau i mi ddweud wrth neb be dwi'n wybod. Dyna beth yw'r holl ffys 'ma, ia? Achos os felly, mi wna i arwyddo datganiad Cyfrinachau Swyddogol neu beth bynnag dach chi isio i mi wneud, ond wedyn faswn i'n licio mynd adra. Mae hyn i gyd yn honco bost, p'un bynnag. A dwi wedi cael digon. Dwi'n mynd o'ma.'

Pesychodd Blunt yn dawel. 'Dydi pethau ddim mor syml â hynny,' meddai.

'Pam ddim?'

'Mae'n wir dy fod ti wedi tynnu sylw at dy hun yn yr iard darnio ceir ac wedyn yn ein swyddfeydd ni yn Liverpool Street. Ac mae hefyd yn wir bod raid i'r hyn wyt ti'n ei wybod yn barod a'r hyn rydw i am ei ddweud wrthyt ti rŵan aros yn gyfrinach. Ond, a siarad yn hollol blaen, Alecs, mae arnon ni angen dy help di.'

'Fy help i?'

'Ie.' Saib. 'Wyt ti wedi clywed am ddyn o'r enw Herod Sayle?'

Meddyliodd Alecs am foment. 'Dwi wedi gweld ei enw fo yn y papurau. Mae o'n rhywbeth i wneud efo cyfrifiaduron. Ac mae ganddo fo geffylau rasio. Ddim o'r Aifft yn rhywle mae o'n dod?'

'Nage. O wlad Libanus.' Yfodd Blunt gegaid o win. 'Gad i mi ddweud ei hanes o wrthyt ti, Alecs. Rydw i'n siŵr y bydd o ddiddordeb i ti ...

'Cafodd Herod Sayle ei eni mewn tlodi mawr yn un o strydoedd cefn Beirut. Barbwr aflwyddiannus oedd ei dad. Roedd ei fam yn gwneud gwaith golchi i bobl eraill. Roedd ganddo naw brawd a phedair chwaer, pawb yn byw gyda'i gilydd mewn tair ystafell fach ynghyd â gafr y teulu. Chafodd Herod y plentyn ddim ysgol, ac fe ddylai fod wedi tyfu i fyny'n ddi-waith, heb allu ysgrifennu na darllen, fel pawb arall o'i deulu.

'Ond pan oedd yn saith oed digwyddodd rhywbeth a newidiodd ei fywyd. Roedd yn cerdded ar hyd Stryd yr Olewydd, yng nghanol Beirut, pan ddigwyddodd weld piano yn syrthio allan o ffenest bedwar llawr ar ddeg i fyny. Roedd y piano ar ganol cael ei symud, mae'n

49

debyg, ac wedi troi drosodd rywsut. Sut bynnag, roedd dau Americanwr yn cerdded ar y palmant oddi tanodd, ac fe fydden nhw wedi cael eu gwasgu'n farw – yn ddigon siŵr – heblaw i Herod ar yr eiliad olaf ei daflu'i hun atynt a'u gwthio o'r ffordd. Methodd y piano â'u taro nhw o filimetr.

'Wrth gwrs, roedden nhw'n aruthrol o ddiolchgar i'r crwt, ac fel roedd hi'n digwydd, yn bobl gyfoethog iawn. Dyma nhw'n holi amdano a chael gwybod mor dlawd oedd o … Roedd y dillad amdano wedi cael eu gwisgo gan bob un o'i naw brawd o'i flaen o. Felly, i ddangos eu gwerthfawrogiad, dyma nhw fwy neu lai yn ei fabwysiadu. Ei hedfan o allan o Beirut a'i roi mewn ysgol draw yma, ac fe lwyddodd yn rhyfeddol. Cafodd lefel O mewn naw pwnc – a dyma gyd-ddigwyddiad anhygoel – yn bymtheg oed roedd yn eistedd nesaf at fachgen fyddai'n tyfu i fyny i fod yn Brif Weinidog Prydain Fawr. Hynny yw, ein Prif Weinidog presennol. Roedd y ddau yn yr un ysgol gyda'i gilydd.

'I symud ymlaen yn gyflym: ar ôl gadael yr ysgol, aeth Sayle i Gaergrawnt, ac ennill gradd dosbarth cyntaf mewn Economeg. Wedyn dechreuodd ar yrfa fyddai'n mynd o un llwyddiant i'r nesaf. Ei orsaf radio ei hun, label recordio, meddalwedd cyfrifiaduron ... a do, fe gafodd amser i brynu cadwyn o geffylau rasio, hyd yn oed, er eu bod nhw am ryw reswm yn dod yn olaf bob tro. Ond yr hyn dynnodd ein sylw ni ato oedd ei ddyfais ddiweddaraf. Cyfrifiadur hollol wahanol, cyfrifiadur mae o wedi ei enwi'n Tarandon.'

Tarandon. Cofiodd Alecs am y ffeil yn swyddfa Ian Rider. Roedd pethau'n dechrau gwneud synnwyr.

'Antur Sayle sy'n cynhyrchu'r Tarandon,' meddai Mrs Jones. 'Mae 'na lawer o siarad wedi bod am ei gynllun. Mae'r allweddell yn ddu, y cas yn ddu – '

'A llun mellten yn mynd i lawr yr ochr,' meddai Alecs. Roedd wedi gweld llun ohono yn *PC Review.*

'Nid yn unig mae'n edrych yn wahanol,' meddai Blunt, yn torri ar draws. 'Mae wedi ei seilio ar dechnoleg hollol newydd. Mae'n defnyddio rhywbeth o'r enw prosesydd crwn. Dyw hynny'n golygu dim byd i ti, mae'n siŵr.'

'Cylched integredig ar sffêr o silicon ydi o, tua un milimetr mewn diamedr,' meddai Alecs. 'Mae o'n naw deg y cant yn rhatach i'w gynhyrchu am fod y cyfan wedi'i selio, felly does dim angen ystafelloedd glân i'w cynhyrchu.'

'O. Ie ... ' Pesychodd Blunt. 'Wel, dyma'r pwynt: yn nes ymlaen heddiw mae Antur Sayle yn mynd i wneud datganiad cwbl eithriadol. Maen nhw am roi degau o filoedd o'r cyfrifiaduron yma yn rhodd. Y gwir yw eu bod nhw'n bwriadu gwneud yn siŵr bod pob ysgol uwchradd ym Mhrydain yn cael un cyfrifiadur Tarandon iddi'i hun. Mae rhodd mor hael â hyn yn gwbl unigryw – ffordd Sayle o ddiolch i'r wlad roddodd gartref iddo.'

'Felly mae'r dyn yn arwr.'

'Mae'n ymddangos felly. Fe ysgrifennodd lythyr i Stryd Downing rai misoedd yn ôl:

'Fy Annwyl Brif Weinidog,

Efallai eich bod yn fy nghofio i o adeg ein dyddiau ysgol gyda'n gilydd. Rwyf wedi bod yn byw ym Mhrydain ers bron i bedwar deg o flynyddoedd a hoffwn, drwy weithred arbennig, wneud rhywbeth na chaiff fyth ei anghofio, rhywbeth i ddangos fy ngwir deimladau at eich gwlad.

'Fe aeth y llythyr yn ei flaen i ddisgrifio'r rhodd ac fe'i arwyddwyd *Eich ufudd was* gan y dyn ei hun. Wrth gwrs, roedd y Llywodraeth wrth ei bodd.

'Mae'r cyfrifiaduron yn cael eu hadeiladu yn ffatri Sayle i lawr ym Mhorth Tallon, Cernyw.

Byddan nhw'n cael eu dosbarthu trwy'r wlad ddiwedd y mis yma, ac ar Ebrill 1af mae seremoni arbennig wedi'i threfnu yn yr Amgueddfa Wyddoniaeth yn Llundain. Bydd y Prif Weinidog yn pwyso'r botwm fydd yn dod â'r holl gyfrifiaduron ar-lein ... pob un ohonyn nhw. A hefyd – ac mae hyn yn hollol gyfrinachol, gyda llaw – mae Mr Sayle yn mynd i dderbyn dinasyddiaeth Brydeinig fel gwobr, sy'n rhywbeth, mae'n debyg, a fu'n uchelgais ganddo erioed.'

'Wel, dwi'n hapus iawn drosto fo,' meddai Alecs. 'Ond dydach chi ddim wedi dweud wrtha i eto be sy gan hyn i'w wneud efo fi.'

Taflodd Blunt gip ar Mrs Jones; roedd hi wedi gorffen ei bwyd wrth iddo siarad. Tynnodd hi'r papur oddi ar fint arall a dechrau siarad.

'Ers peth amser mae'n hadran ni – Gweithrediadau Arbennig – wedi bod yn poeni am Mr Sayle. A dweud y gwir yn blaen, teimlo rydan ni tybed nad ydi hyn yn rhy dda i fod yn wir. Wna i ddim manylu, Alecs, ond rydan ni wedi bod yn edrych ar y ffordd mae o'n masnachu ... mae ganddo fo gysylltiadau yn Tsieina a'r cyn-Undeb Sofietaidd; gwledydd na fu erioed yn ffrindiau i ni. Fallai bod y Llywodraeth yn credu ei fod yn sant, ond mae 'na ochr greulon iddo fo hefyd. Ac ar ben hynny, mae'r trefniadau diogelwch i lawr ym Mhorth Tallon yn ein poeni ni. Mae ganddo fo 'i fyddin breifat ei hun yno, fwy neu lai. Mae'n ymddwyn fel petai ganddo rywbeth i'w guddio.'

'Nid bod unrhyw un yn gwrando ar ein amheuon,' mwmiodd Blunt.

'Yn hollol. Mae'r Llywodraeth yn rhy awyddus i gael eu dwylo ar y cyfrifiaduron yma i wrando arnon ni. Dyna pam benderfynon ni anfon ein dyn ein hunain i lawr i'r ffatri. Archwilio'r trefniadau diogelwch oedd yr esgus. Ond, mewn gwirionedd, ei waith oedd cadw llygad ar Herod Sayle,'

'Siarad am fy ewythr ydach chi,' meddai Alecs. Roedd Ian Rider wedi dweud wrtho ei fod yn mynd i gynhadledd yswiriant. Un celwydd arall mewn bywyd a fu'n ddim ond celwyddau.

'Ia. Roedd o yno am dair wythnos, a fel ni wnaeth o ddim cymryd at Mr Sayle. Yn ei adroddiadau cyntaf, roedd yn ei ddisgrifio fel dyn byr ei dymer ac annymunol. Ond ar yr un pryd, roedd yn gorfod cyfaddef fod pob dim yn edrych yn iawn. Roedd y gwaith cynhyrchu'n brydlon. Roedd y cyfrifiaduron Tarandon yn cael eu cwblhau. Ac roedd pawb i'w gweld yn fodlon.

'Ac yna fe gawson ni neges. Allai Rider ddim

dweud llawer am ei fod ar linell agored, ond mi ddwedodd fod rhywbeth wedi digwydd. Roedd wedi dod o hyd i rywbeth, meddai. Dywedodd fod raid i'r peiriannau Tarandon gael eu rhwystro rhag gadael y ffatri, a'i fod yn dod i fyny i Lundain ar unwaith. Gadawodd Borth Tallon am bedwar o'r gloch. Wnaeth o ddim cyrraedd y draffordd, hyd yn oed. Ymosodwyd arno ar ffordd fach dawel yn y wlad. Daeth yr heddlu lleol o hyd i'r car. Fe drefnon ni iddo gael ei gludo yma.'

Eisteddodd Alecs yn ddistaw. Gallai ddychmygu'r peth. Lôn droellog, y coed newydd ddechrau blaguro. Y BMW arian yn disgleirio wrth iddo wibio heibio. A heibio i'r tro, car arall yn disgwyl … 'Pam ydych chi'n dweud hyn i gyd wrtha i?' gofynnodd.

'Mae'n profi beth oedden ni'n ei ddweud,' atebodd Blunt. 'Rydan ni'n amheus o Sayle, felly rydan ni'n anfon dyn i lawr yno. Ein dyn gorau. Mae o'n dod o hyd i rywbeth ac yn cael ei ladd. Falle bod Rider wedi dod o hyd i'r gwir – '

Torrodd Alecs ar ei draws: 'Ond dwi ddim yn deall! Mae Sayle yn rhoi'r cyfrifiaduron am ddim. Dydi o ddim yn gwneud unrhyw arian o'r cynllun. Ac am hynny mae o'n cael bod yn ddinesydd Prydeinig. Iawn! Be sy ganddo fo i'w guddio?'

'Dydan ni ddim yn gwybod,' meddai Blunt. 'Ddim o gwbl. Ond rydan ni eisiau cael gwybod. A hynny'n fuan. Cyn i'r cyfrifiaduron adael y ffatri.'

'Maen nhw'n cael eu dosbarthu ar Fawrth 31ain,' meddai Mrs Jones. 'Dim ond pythefnos o rŵan.' Taflodd gipolwg ar Blunt. Nodiodd yntau. 'Dyna pam mae'n holl bwysig ein bod ni'n anfon rhywun arall i Borth Tallon. Rhywun i barhau â'r gwaith roedd dy ewythr wedi'i ddechrau.'

Gwenodd Alecs yn gam. 'Gobeithio nad ydych chi'n meddwl amdana i.'

'Fyddai gyrru asiant arall i mewn ddim yn ateb,' meddai Mrs Jones. 'Mae'r gelyn wedi dangos ei liw. Mae o wedi lladd Rider. Mi fydd yn disgwyl rhywun yn ei le. Mae'n rhaid i ni ei dwyllo rywsut.'

'Rhaid i ni yrru rhywun i mewn yno na fydd yn tynnu sylw ato'i hun,' ychwanegodd Blunt. 'Rhywun all edrych o gwmpas ac adrodd yn ôl heb iddo gael ei weld. Roedden ni'n ystyried gyrru merch i lawr yno. Mae'n bosib y gallai hi gael i mewn yno fel ysgrifenyddes neu dderbynnydd. Ond wedyn mi gefais i syniad gwell.

'Rai misoedd yn ôl, fe drefnodd un o'r

cylchgronau cyfrifiaduron gystadleuaeth. *Ai ti fydd y bachgen neu'r ferch gyntaf i ddefnyddio'r Tarandon? Teithia i Borth Tallon a chwrdd â Herod Sayle ei hun!* Dyna oedd y wobr gyntaf – ac fe gafodd ei hennill gan ryw lefnyn ifanc sydd, mae'n debyg, yn dipyn o athrylith efo cyfrifiaduron. Felix Lester ydi'r enw. Yr un oed â ti. Edrych yn weddol debyg i ti hefyd. Maen nhw'n ei ddisgwyl o i lawr ym Mhorth Tallon ymhen llai na phythefnos.'

'Hanner munud –'

'Rwyt ti eisoes wedi profi dy fod ti'n eithriadol o ddewr a dyfeisgar,' meddai Blunt. 'Yn yr iard darnio ceir i ddechrau ... cic Karate oedd honna, ie ddim? Ers faint wyt ti wedi bod yn cael gwersi Karate?' Atebodd Alecs ddim, felly aeth ymlaen. 'Ac wedyn dyna'r prawf bach 'na drefnon ni i ti yn y banc. Mae unrhyw fachgen sy'n barod i ddringo allan o ffenest bymtheg llawr i fyny dim ond oherwydd chwilfrydedd yn fachgen eitha arbennig, ac mae'n edrych i mi fel petaet ti'n fachgen eithriadol, yn wir.'

'Yr hyn rydyn ni'n ei awgrymu yw dy fod ti'n dod i weithio i ni,' meddai Mrs Jones. 'Mae digon o amser ganddon ni i roi ychydig o hyfforddiant sylfaenol i ti – nid y bydd angen hynny arnat ti, mae'n debyg – ac fe allwn ni ddarparu ambell

57

beth i ti allai fod o help i wneud yr hyn sydd gennym ni mewn golwg. Wedyn fe drefnwn ni i ti gymryd lle'r bachgen arall yma. Mi fyddi yn mynd i Antur Sayle ar Fawrth 29ain. Dyna'r diwrnod maen nhw'n disgwyl i Felix Lester gyrraedd. Byddi yn aros yno tan Ebrill 1af, sef diwrnod y seremoni. Allai'r amseru ddim bod yn well. Mi fyddi di'n gallu cyfarfod Herod Sayle, cadw llygad arno a dweud wrthon ni be rwyt ti'n ei feddwl. Falle y cei di wybod hefyd beth oedd dy ewythr wedi'i ddarganfod, a pam roedd yn rhaid iddo farw. Ddylet ti ddim bod mewn unrhyw beryg. Wedi'r cyfan, pwy fyddai'n amau bachgen pedair ar ddeg oed o fod yn sbïwr?'

'Y cyfan ydyn ni'n ofyn i ti i wneud yw adrodd yn ôl i ni,' meddai Blunt. 'Dyna'r cwbl rydyn ni eisiau. Pythefnos o dy amser. Cyfle i wneud yn siŵr bod y cyfrifiaduron yma cystal bob tamaid â'r hyn maen nhw'n ei addo. Cyfle i wasanaethu dy wlad.'

Roedd Blunt wedi gorffen ei ginio. Roedd ei blât yn hollol lân, fel petai dim bwyd wedi bod arno erioed. Rhoddodd ei gyllell a'i fforc i lawr, gan eu gosod yn ofalus ochr yn ochr. 'O'r gorau, Alecs,' meddai. 'Felly, beth amdani?'

Bu saib hir.

Roedd Blunt yn edrych arno â diddordeb

cwrtais. Roedd Mrs Jones yn tynnu'r papur oddi ar fint arall, ei llygaid duon yn syllu ar y tamaid papur yn ei llaw.

'Na,' meddai Alecs.

'Mae'n ddrwg gen i?'

'Mae'n syniad dwl. Dwi ddim isio bod yn sbïwr. Pêl-droediwr dwi am fod. Beth bynnag, mae gen i 'mywyd fy hun.' Roedd yn ei chael yn anodd dewis y geiriau cywir. Roedd yr holl beth mor hurt nes ei fod o awydd chwerthin. 'Pam na wnewch chi ofyn i'r Felix Lester yma chwilota i chi?'

'Dydan ni ddim yn credu y byddai o mor ddyfeisgar â ti,' meddai Blunt.

'Mae'n debyg ei fod o'n well am chwarae gêmau cyfrifiadur.' Ysgydwodd Alecs ei ben. 'Sori. Does gen i ddim diddordeb, dyna i gyd. Dwi ddim isio cael fy nhynnu i mewn i'r helynt.'

'Dyna biti,' meddai Blunt. Nid oedd tôn ei lais wedi newid ond roedd y geiriau'n swnio'n drwm a marwaidd rywsut. Ac roedd rhywbeth yn wahanol yn ei gylch hefyd. Yn ystod y pryd bwyd roedd wedi bod yn gwrtais; ddim yn gyfeillgar, efallai, ond o leiaf yn ddynol. Mewn eiliad, roedd hynny wedi diflannu. Meddyliodd Alecs am tsiaen toiled yn cael ei thynnu. Roedd y darn dynol ohono fo newydd gael ei olchi i ffwrdd.

'Fe fyddai'n well i ni symud ymlaen i drafod dy ddyfodol, felly,' meddai. 'Hoffi hynny neu beidio, Alecs, y Royal & General yw dy warcheidwad cyfreithiol erbyn hyn.'

'Ro'n i'n meddwl eich bod chi wedi dweud nad oedd y Royal & General yn bodoli.'

Chymerodd Blunt ddim sylw o Alecs. 'Wrth gwrs, mae Ian Rider wedi gadael y tŷ a'i arian i gyd i ti. Ond, hyd nes dy fod yn un ar hugain oed, mae'r cyfan mewn ymddiriedolaeth. A ni fydd yn rheoli popeth. Felly fe fydd rhai pethau'n gorfod newid, mae arna i ofn. Yr Americanes sy'n byw efo ti.'

'Jac?'

'Miss Starbright. Mae ei fisa hi ar ben. Bydd yn cael ei hanfon yn ôl i America. Rydyn ni'n bwriadu rhoi'r tŷ ar werth. Yn anffodus does gennyt ti ddim teulu i ofalu amdanat, felly mae'n ddrwg gen i ddweud hefyd y bydd raid i ti adael ysgol Brookland. Fe gei di dy yrru i gartref plant. Mae 'na un y gwn i amdano yn agos i Birmingham. Y Santes Elisabeth yn Stourbridge. Nid y lle mwyaf dymunol, ond yn anffodus does dim dewis.'

'Rydych chi'n fy mygwth i!' ebychodd Alecs.

'Ddim o gwbl.'

'Ond os cytuna i i'ch helpu chi …'

Taflodd Blunt gipolwg ar Mrs Jones. 'Gallwn ni helpu'n gilydd,' meddai hi.

Meddyliodd Alecs, ond ddim am yn hir iawn. Doedd ganddo ddim dewis ac roedd yn gwybod hynny. Dim tra oedd y bobl yma'n rheoli ei arian, ei fywyd presennol, a'i ddyfodol i gyd. 'Roeddech chi'n sôn am hyfforddiant,' meddai.

Nodiodd Mrs Jones. 'Dyna pam gwnaethon ni ddod â ti yma, Alecs. Canolfan hyfforddi ydy'r lle yma. Os wyt ti'n cytuno i'r hyn ydyn ni eisiau, gallwn ddechrau ar unwaith.'

'Dechrau ar unwaith,' meddai Alecs, heb hoffi sŵn y geiriau. Roedd Blunt a Mrs Jones yn aros am ei ateb. Ochneidiodd. 'Ocê. Iawn. Does gen i fawr o ddewis, mae'n debyg.'

Edrychodd ar y tafelli o gig oen oer ar ei blât. Cig marw. Yn sydyn, roedd yn gwybod sut oedd y cig yn teimlo.

DWBWL O DIM BYD

Am y canfed tro, bu Alecs yn rhegi Alan Blunt, a hynny mewn geiriau nad oedd o byth fel arfer yn eu defnyddio. Roedd hi bron yn bump o'r gloch y pnawn, er, gallai fod yn bump o'r gloch y bore'n hawdd: doedd yr awyr heb newid o gwbl drwy'r dydd. Roedd yn ddiwrnod llwyd, oer, creulon. Roedd hi'n dal i fwrw – glaw mân yn cael ei yrru gan y gwynt, yn socian trwy'i ddillad oedd i fod yn dal dŵr, gan gymysgu â'i chwys a'i faw, a'i oeri i'r byw.

Agorodd ei fap a chadarnhau unwaith eto ble roedd o. Roedd yn rhaid oi fod yn agos at RV olaf y diwrnod – y pwynt rendezvous diwethaf – ond ni allai weld dim. Roedd yn sefyll ar lwybr cul o gerrig mân llwyd oedd yn crensian dan ei esgidiau milwr wrth iddo gerdded. Troellai'r llwybr ar hyd ochr mynydd, ac roedd dibyn serth ar yr ochr dde iddo. Rywle ar Fannau Brycheiniog yr oedd o, a dylai fod golygfa o'i flaen, ond roedd y glaw a'r golau dydd gwan wedi dileu'r cyfan. Tyfai ambell goeden gam ar ochr y bryn, eu dail mor galed â drain. Tu ôl iddo, oddi tano, o'i flaen, roedd popeth yr un fath. Gwlad Nunlle.

Roedd Alecs mewn poen. Roedd y sach

deithio Bergen 10-cilogram roedd yn rhaid iddo'i
gwisgo yn torri i mewn i'w ysgwyddau ac wedi
codi swigod ar groen ei gefn. Roedd ei ben-glin
dde, lle roedd wedi syrthio arni'n gynharach yn
y dydd, wedi peidio gwaedu, ond roedd yn dal i
losgi. Roedd ei ysgwydd wedi cleisio ac roedd
wedi torri'r croen ar ochr ei wddf. Doedd ei wisg
guddliw – roedd wedi newid ei drowsus combat
Gap am y peth go iawn – ddim yn ffitio'n dda;
torrai i mewn i'w goesau ac o dan ei geseiliau,
ond hongiai'n llac ymhobman arall. Sylweddolai
ei fod ar fin diffygio'n llwyr; wedi blino gormod i
deimlo'r boen, bron. Oni bai am y tabledi glwcos
a chaffîn yn ei becyn goroesi, byddai wedi arafu
a stopio oriau'n ôl. Roedd yn gwybod os na
fedrai ddod o hyd i'r pwynt RV yn fuan na fyddai
ganddo'r nerth corfforol i fynd yn ei flaen.
Wedyn fe fyddai'n cael ei daflu oddi ar y cwrs.
'Binio' roedden nhw'n ei alw fo. Fe fydden nhw'n
hoffi hynny. Gan lyncu'r blas methiant yn ei geg,
plygodd Alecs y map a'i orfodi'i hun yn ei flaen.

Hwn oedd y nawfed diwrnod – neu'r degfed
efallai – o'i hyfforddiant. Roedd amser wedi
dechrau toddi i mewn iddo'i hun, mor ddi-siâp
â'r glaw. Ar ôl ei ginio efo Alan Blunt a Mrs
Jones, roedd Alecs wedi cael ei symud allan o'r
plas ac i gwt pren syml yn y gwersyll hyfforddi

rai milltiroedd i ffwrdd. Roedd naw cwt i gyd, pob un â phedwar gwely metel a phedwar cwpwrdd metel. Roedd pumed gwely wedi cael ei wasgu i mewn i un o'r cytiau ar gyfer Alecs. Roedd dau gwt arall, wedi'u peintio mewn lliw gwahanol, yn sefyll ochr yn ochr. Cegin a neuadd fwyd oedd un. Roedd y llall yn cynnwys toiledau, sinciau a chawodydd – heb yr un tap dŵr poeth i'w weld yn unman.

Ar ei ddiwrnod cyntaf yno, roedd Alecs wedi cael ei gyflwyno i'w swyddog hyfforddi – rhingyll du, anhygoel o ffit. Roedd o y math o ddyn oedd yn credu ei fod wedi gweld popeth. Nes iddo weld Alecs. Roedd wedi astudio'r bachgen newydd am funud hir cyn siarad.

'Nid gofyn cwestiyne ydi 'ngwaith i,' meddai, 'ond tase fo, fysen i isio gofyn be maen nhw'n feddwl maen nhw'n neud, yn gyrru plant ata i. Ti gen unrhyw syniad lle wyt ti, lad? Dim Butlins ydi fan hyn. Dim y Club Méditerranée ydi o.' Torrodd y gair yn bum sill a'u poeri nhw allan. 'Wyt ti gen i am un diwrnod ar ddeg, ac maen nhw'n disgwyl i fi roi'r math o hyfforddiant i ti ddyle gymryd peder wythnos ar ddeg. Mae hynny'n *suicidal*.'

'Wnes i ddim gofyn am gael bod yma,' meddai Alecs.

Yn sydyn roedd y rhingyll yn wyllt. 'Ti ddim yn siarad efo fi heb i fi roi caniatâd i ti,' gwaeddodd. 'A pan ti'n siarad efo fi ti'n galw "syr" arna i. Ti'n deall?'

'Ydw, syr.' Roedd Alecs wedi penderfynu'n barod fod y dyn yn waeth na'i athro daearyddiaeth hyd yn oed.

'Mae 'ne bum uned weithredol yma ar y foment,' meddai'r swyddog wedyn. 'Byddi di'n ymuno efo Uned K. Dyden ni ddim yn defnyddio enwe. Does gen i ddim enw. Does gen ti ddim enw. Os bydd rhywun yn gofyn i ti be wyt ti'n wneud, ti ddim yn dweud dim byd wrthyn nhw. Falle bydd rhai o'r dynion yn galed arnat ti. Falle bydd rhai ohonyn nhw'n flin dy fod ti yma. Bechod. Fydd raid i ti jest byw efo o. Ac mae 'ne rywbeth arall mae'n rhaid i ti wybod. Mae 'ne ambell beth alla i fadde i ti. Bachgen wyt ti, dim dyn. Ond os byddi di'n cwyno, mi gei di dy finio. Os wyt ti'n crio, mi gei di dy finio. Os wyt ti'n methu cadw i fyny, mi gei di dy finio. Rhyngot ti a fi, lad, camgymeriad ydi hyn, a dwi isio dy finio di.'

Ar ôl hynny, ymunodd Alecs ag Uned K. Fel roedd y rhingyll wedi rhybuddio, doedden nhw ddim yn rhyw falch iawn o'i weld.

Roedd pedwar ohonyn nhw. Fel roedd Alecs

yn mynd i gael gwybod yn fuan, roedd Adran Gweithrediadau Arbennig MI6 yn gyrru'i hasiantiaid i'r un ganolfan hyfforddi â'r Gwasanaeth Awyr Arbennig – yr SAS. Roedd llawer o'r hyfforddiant wedi ei seilio ar arferion yr SAS, gan gynnwys niferoedd a natur pob tîm. Felly roedd pedwar dyn, pob un â'i sgiliau arbennig ei hun. Ac un bachgen, yn ôl pob golwg heb yr un sgìl.

Roeddent i gyd yn eu hugeiniau, pawb yn gorwedd ar ei wely ei hun, yn gwmni bodlon a thawel. Dau yn smygu. Un yn darnio ac ail-osod ei bistol – Browning 9mm Pŵer Uchel. Roedd pob un wedi derbyn ffug-enw cod: Blaidd, Llwynog, Eryr a Neidr. O hyn ymlaen, Cenau fyddai enw Alecs. Yr arweinydd, hwnnw â'r pistol, oedd Blaidd. Roedd yn fyr a chyhyrog, ei ysgwyddau'n llydan a'i wallt yn ddu ac yn gwta. Roedd ganddo wyneb golygus, a edrychai braidd yn gam oherwydd fod ei drwyn wedi cael ei dorri rywdro yn y gorffennol.

Blaidd siaradodd gyntaf. Gan roi'r pistol i lawr, syllodd ar Alecs â'i lygaid oeraidd, llwyd tywyll. 'So pwy gythral ti'n meddwl wyt ti?' gofynnodd.

'Cenau,' atebodd Alecs.

'Blydi hogyn ysgol!' Siaradodd Blaidd ag acen od, tebyg i acen gwlad dramor. 'Choelia i ddim!

Efo Gweithrediada Arbennig wyt ti?'

'Cha i ddim deud hynny wrthat ti.' Aeth Alecs draw at ei wely ac eistedd arno. Roedd y fatres yn teimlo'r un mor galed â'r ffrâm. Er ei bod mor oer, un blanced oedd arno.

Ysgydwodd Blaidd ei ben a gwenu'n ddi-hiwmor. 'Sbiwch be maen nhw 'di yrru i ni,' mwmiodd. 'Dwbwl-0 Saith? Dwbwl-0 Dim Byd, ddeudwn i.'

Ar ôl hynny fe lynodd yr enw. Dwbwl-0 Dim Byd oedd eu henw ar Alecs.

Yn ystod y dyddiau canlynol, roedd Alecs yn cysgodi'r grŵp, heb fod yn rhan go iawn ohono ac eto byth ymhell i ffwrdd. Dysgodd ddarllen map, cyfathrebu â radio, a chymorth cyntaf. Ymunodd mewn dosbarth ymladd heb arfau, a chafodd ei daro i'r llawr mor aml fel ei bod yn frwydr iddo fagu'r hyder i godi'n ôl ar ei draed.

Ac wedyn y cwrs ymosod. Pum gwaith y cafodd ei fwlio a gweiddi arno ar hyd yr hunllef o rwydi ac ysgolion, twneli a ffosydd, rhaffau tyn sigledig a muriau anferth, a redai am bron i hanner cilometr drwy ac uwch ben y tir coediog wrth ymyl y cytiau. Meddyliai Alecs amdano fel y maes chwarae antur o uffern. Y tro cyntaf iddo fentro arno, syrthiodd oddi ar y rhaff ac i bwll oedd fel petai wedi ei lenwi'n fwriadol â llysnafedd rhewllyd. Yn fudr ac wedi hanner ei foddi, cafodd ei yrru'n ôl i'r man cychwyn gan y rhingyll. Meddyliodd Alecs na fyddai byth yn cyrraedd y diwedd, ond yr ail dro fe orffennodd y cwrs mewn pum munud ar hugain – a thorrodd yr amser hwnnw i lawr i ddau funud ar bymtheg erbyn diwedd yr wythnos. Er ei fod wedi ei gleisio ac wedi blino'n lân, roedd yn fodlon arno'i hun yn ddistaw bach. Roedd hyd yn oed Blaidd wedi cymryd deuddeg munud.

Roedd Blaidd yn parhau i fod yn fwriadol gas tuag at Alecs. Byddai'r tri dyn arall yn ei anwybyddu, ond gwnâi Blaidd bopeth posib i'w wawdio neu i godi cywilydd arno. Roedd fel pe bai Alecs wedi ei sarhau rywsut drwy ddod yn aelod o'r grŵp. Un tro, wrth gropian o dan y rhwydi, roedd Blaidd wedi rhoi cic sydyn, gan fethu wyneb Alecs â'i esgid o un centimetr. Wrth gwrs, byddai wedi dweud mai damwain oedd hi petai'r esgid wedi ei daro. Dro arall roedd wedi llwyddo i faglu Alecs yn y neuadd fwyd nes iddo syrthio ar ei hyd efo'i hambwrdd, ei gytleri a dysgliad o gawl chwilboeth. A phob tro y byddai'n siarad ag Alecs byddai'n defnyddio'r un llais gwawdlyd.

'Nos dawch, Dwbwl-0 Dim Byd. Paid â g'lychu dy wely.'

Brathodd Alecs ei dafod a dweud dim. Ond roedd yn falch pan gafodd y pedwar dyn eu gyrru i ffwrdd ar gwrs goroesi jyngl am ddiwrnod – doedd hynny ddim yn rhan o'i hyfforddiant o – er bod y rhingyll wedi ei weithio fo ddwywaith mor galed wedi iddyn nhw fynd. Roedd yn well ganddo fod ar ei ben ei hun.

Ond ar yr wythfed diwrnod, daeth Blaidd yn agos at roi diwedd arno unwaith ac am byth. Yn y Tŷ Lladd y digwyddodd o.

Twyll oedd y Tŷ Lladd; model o lysgenhadaeth oedd yn cael ei ddefnyddio i hyfforddi'r SAS yn y broses o ryddhau gwystlon. Roedd Alecs wedi gwylio Uned K yn mynd i mewn i'r tŷ ddwywaith, y tro cyntaf ar raffau i lawr o'r to, ac wedi dilyn eu hynt ar y teledu cylch cyfyng. Roedd y pedwar yn arfog. Ni chymerodd Alecs ran yn yr ymarferiad gan fod rhywun yn rhywle wedi penderfynu na ddylai gario gwn. Tu mewn i'r Tŷ Lladd roedd pobl o bren wedi eu gosod i gynrychioli terfysgwyr a gwystlon. Gan falu'r drysau'n yfflon a defnyddio grenadau llonyddu i glirio'r stafelloedd efo cyfres o ffrwydradau byddarol, roedd Blaidd, Llwynog, Eryr a Neidr wedi cyflawni'r her yn llwyddiannus, y ddau dro.

Y tro hwn roedd Alecs efo nhw. Roedd maglau cudd yn y tŷ. Doedd neb wedi dweud pa fath. Doedd gan dim un o'r pump arfau. Y gamp oedd mynd o un pen o'r tŷ i'r llall heb gael eu 'lladd'.

Bu bron iddyn nhw lwyddo. Yn y stafell gyntaf, a drefnwyd i edrych fel ystafell fwyta anferth, daethant o hyd i'r padiau pwysedd o dan y carped a'r pelydrau is-goch ar draws y drysau. I Alecs, roedd y profiad yn un iasol – dilyn y pedwar dyn ar flaenau'i draed, eu gwylio wrth iddynt ddatgymalu'r ddwy ddyfais, gan ddefnyddio mwg sigarét i ddangos y pelydrau oedd yn anweledig fel arall.Teimlad rhyfedd oedd ofni popeth ond gweld dim byd. Yn y neuadd, roedd synhwyrydd symudiad a fyddai wedi tanio dryll peiriant (cymerodd Alecs yn ganiataol mai rhai gwag oedd y bwledi) tu ôl i sgrin Siapaneaidd. Roedd y drydedd stafell yn wag. Stafell fyw oedd y bedwaredd, a'r ffordd allan ohoni – pâr o ddrysau gwydr – yr ochr draw. Roedd weiren faglu, fawr tewach na blewyn gwallt, yn rhedeg yr holl ffordd ar draws y stafell, ac roedd larwm ar y drysau gwydr. Tra oedd Neidr yn delio â'r larwm, paratôdd Llwynog ac Eryr i ddiarfogi'r weiren faglu, gan ddadglipio bwrdd cylched electronig ac amrywiaeth o offer oddi ar eu beltiau.

Dyma Blaidd yn eu stopio. 'Dyna ddigon. 'Dan

ni o'ma.' Y foment honno rhoddodd Neidr arwydd. Roedd wedi datgysylltu'r larwm. Roedd y drysau gwydr yn agored.

Neidr oedd y cyntaf allan. Wedyn Llwynog ac Eryr. Byddai Alecs wedi bod yr olaf i adael y stafell, ond fel roedd yn cyrraedd y drysau safai Blaidd ar ei lwybr.

'Hen dro, ia, Dwbwl-0 Dim Byd,' meddai Blaidd. Roedd ei lais yn feddal, bron yn garedig.

Yr eiliad nesaf roedd bôn llaw Blaidd yn dyrnu'n erbyn ei frest, yn ei wthio'n ôl â grym syfrdanol. Collodd Alecs ei gydbwysedd oherwydd yr ergyd annisgwyl a syrthiodd, gan gofio am y weiren faglu a cheisio troi ei gorff i'w hosgoi. Ond doedd dim gobaith. Chwipiodd ei law chwith yn erbyn y weiren. Roedd yn gallu'i theimlo'n cyffwrdd ei arddwrn. Trawodd y llawr, gan dynnu'r weiren gydag ef. Ac yna …

Mae'r grenâd llonyddu HRT wedi cael ei ddefnyddio'n aml gan yr SAS. Dyfais fach, yn llawn o bowdr magnesiwm a ffwlminad merciwri, yw'r grenâd. Pan daniwyd y grenâd gan y weiren faglu, ffrwydrodd y merciwri ar unwaith, gan fyddaru Alecs a dirgrynu drwyddo fel pe bai â'r gallu i rwygo'i galon o'i gorff. Yr un pryd, taniodd y magnesiwm a llosgi am ddeng eiliad gyfan. Roedd y golau mor hynod o lachar fel bod cau ei lygaid yn gwneud dim gwahaniaeth. Gorweddodd Alecs yno a'i wyneb ar y lawr pren, caled, ei fysedd yn crafangu ar ei ben, yn aros i'r cyfan ddod i ben.

Ond hyd yn oed wedyn doedd o ddim ar ben. Pan beidiodd y magnesiwm o'r diwedd â llosgi roedd fel pe bai'r golau i gyd wedi llosgi allan hefyd. Cododd Alecs yn llafurus, yn gweld na chlywed dim, yn ansicr hyd yn oed ble roedd. Teimlai fel pe bai ar fin chwydu. Siglai'r stafell o'i gwmpas. Roedd arogl cemegion yn drwm yn yr aer.

Ar ôl deng munud baglodd allan o'r tŷ. Roedd Blaidd yn oi ddisgwyl, gyda'r lleill, ei wyneb yn ddi-emosiwn, a sylweddolodd Alecs fod yn rhaid ei fod wedi llithro allan o'r stafell cyn iddo ef daro'r llawr. Cerddodd y rhingyll ato, ei wyneb yn flin. Doedd Alecs ddim wedi disgwyl iddo ddangos yr arwydd lleiaf ei fod yn pryderu amdano, ac ni chafodd ei siomi.

'Ti isie deud wrtha'i be wnaeth hapno yn y tŷ, Cene?' gofynnodd. Gan nad oedd Alecs yn ateb, aeth yn ei flaen. 'Wnest ti ddifetha'r holl ymarfer. Wnest ti lanast. Mi allet ti achosi i'r uned i gyd gael ei binio. Felly well i ti ddechre deud wrtha i be aeth o'i le.'

Taflodd Alecs olwg ar Blaidd. Edrychodd

72

Blaidd i ffwrdd. Beth ddylai ei ddweud? A ddylai hyd yn oed geisio dweud y gwir?

'Wel?' Roedd y rhingyll yn aros.

'Ddigwyddodd 'na ddim byd, syr,' meddai Alecs. 'Doeddwn i jest ddim yn edrych lle'r oeddwn i'n mynd. Mi sathrais i ar rywbeth ac mi fuo 'na ffrwydrad.'

'Tase nene'n fywyd go iawn mi fyddet ti'n gorff,' meddai'r rhingyll. 'Be ddeudes i wrthot ti? Camgymeriad oedd gyrru plentyn ata i. A phlentyn dwl, trwsgl, sy ddim yn edrych i ble mae o'n mynd ... mae hynny'n waeth byth!'

Arhosodd Alecs ble'r oedd o, yn derbyn y cyfan. O gil ei lygad gallai weld Blaidd yn hanner-gwenu.

Roedd y rhingyll wedi ei weld hefyd. 'Ti'n meddwl 'i fod o mor ddigri, Blaidd? Gei di fynd i mewn yne i glirio. A well i chi i gyd gael noson dda o gwsg heno. Pawb ohonoch chi. Achos fory'r bore mae gynnoch chi heic o bedwar deg cilometr. Dogne bwyd goroesi. Dim tân. Cwrs goroesi ydi hwn. Ac os byddwch chi'n goroesi, wedyn falle bydd gynnoch chi reswm i wenu.'

Cofiai Alecs y geiriau rŵan, union bedair awr ar hugain yn ddiweddarach. Roedd wedi treulio'r un awr ar ddeg ddiwethaf ar ei draed, yn dilyn y llwybr roedd y rhingyll wedi'i ddangos

73

iddo ar y map. Roedd yr ymarfer wedi dechrau am chwech o'r gloch y bore, ar ôl brecwast o selsig a ffa pob yn y llwyd-olau. Roedd Blaidd a'r lleill wedi diflannu i'r pellter o'i flaen ers meitin, er eu bod nhw wedi cael sachau teithio 25-cilogram i'w cario. Hefyd, dim ond wyth awr gawson nhw i gwblhau'r cwrs. Roedd Alecs, oherwydd ei oed wedi cael deuddeg awr.

Aeth heibio tro yn y llwybr, ei draed yn crensian ar y cerrig mân. Roedd rhywun yn sefyll yn union o'i flaen. Y rhingyll oedd yno. Roedd newydd danio sigarét, a gwyliodd Alecs wrth iddo lithro'r matsys yn ôl i'w boced. Wrth ei wold yno cofiodd ei gywilydd a'i wylltineb y diwrnod cynt ac ar yr un pryd diflannodd y gweddill o'i nerth. Yn sydyn roedd Alecs wedi cael llond bol ar Blunt, Mrs Jones, Blaidd ... ar holl wiriondeb y peth. Ag un ymdrech olaf baglodd hyd y can metr olaf ac yna stopiodd. Roedd glaw a chwys yn diferu i lawr ochr ei wyneb. Roedd ei wallt, yn frown o faw erbyn hyn, wedi ei ludo ar draws ei dalcen.

Edrychodd y rhingyll ar ei oriawr. 'Un ar ddeg awr, pum munud. Ddim yn ddrwg, Cene. Ond roedd y lleill yma dair awr yn ôl.'

Wel hwrê fawr, meddyliodd Alecs. Ddywedodd o 'run gair.

'Beth bynnag, mi ddylet ti jest 'i gwneud hi i'r RV ola,' ychwanegodd y rhingyll. 'I fyny fan yne mae o.'

Pwyntiodd at wal. Nid llethr, ond wal serth. Craig solet yn codi am bum deg metr heb afael llaw na throed i'w gweld yn unman. Hyd yn oed wrth edrych arno teimlai Alecs ei stumog yn mynd yn llai. Roedd Ian Rider wedi mynd â fo i ddringo – yn yr Alban, Ffrainc, ac ar hyd a lled Ewrop. Ond doedd o erioed wedi trio dim byd mor anodd â hyn. Ddim ar ei ben ei hun. Ddim pan oedd wedi blino i'r fath raddau.

'Fedra i ddim,' meddai. Yn y diwedd daeth y geiriau allan yn hawdd.

'Wnes i ddim clywed hynna,' meddai'r rhingyll.

'Fedra i ddim 'i wneud o, medda fi, syr.'

'Dyden ni ddim yn dweud "Fedra i ddim" o gwmpas fan hyn.'

'Dydi o ddim ots gen i. Dwi 'di cael digon. Dwi jest wedi cael ...' Torrodd llais Alecs. Doedd ganddo ddim ffydd ynddo'i hun i drio dweud dim mwy. Safodd yno, yn oer a gwag, yn aros i'r fwyell syrthio.

Ond wnaeth hi ddim. Syllodd y rhingyll arno am funud hir. Nodiodd ei ben yn araf. 'Gwranda arna i, Cene,' meddai. 'Dwi'n gwybod be hapnodd yn y Tŷ Lladd.'

Edrychodd Alecs i fyny.

'Mi anghofiodd Blaidd am y Teledu Cylch Cyfyng. Mae'r cyfan ganddon ni ar ffilm.'

'Felly pam –?' dechreuodd Alecs.

'Wnest ti wneud cwyn amdano fo, Cene?'

'Naddo, syr.'

'Wyt ti isie gwneud cwyn amdano fo, Cene?'

Saib. Wedyn, 'Nagoes, syr.'

'Iawn.' Pwyntiodd y rhingyll at wyneb y graig, yn cynnig llwybr i fyny â'i fys. 'Dydi o ddim mor anodd ag mae o'n edrych,' meddai. 'Ac maen nhw'n aros amdanat ti jest dros y top. Gen ti ginio oor ncis. Dogne goroesl. Ti ddim isie colli hynny.'

Anadlodd Alecs yn ddwfn a chychwyn yn ei flaen. Wrth iddo fynd heibio'r rhingyll, baglodd ac estyn llaw i'w ddal ei hun ar ei draed, gan ledgyffwrdd ag o. 'Sori, syr,' meddai.

Cymerodd ugain munud iddo gyrraedd pen uchaf y graig, ac yn wir, roedd Uned K yno'n barod, ar eu cwrcwd o amgylch tair pabell fach roeddent wedi eu codi yn gynharach yn y pnawn mae'n rhaid. Dwy babell i ddau ddyn yn rhannu. Un, y leiaf, i Alecs.

Edrychodd Neidr, dyn main, gwallt golau, i fyny ar Alecs. 'Nag o'n i'n credu byddet ti'n llwyddo,' meddai. Roedd Alecs yn methu peidio sylwi ar ryw gynhesrwydd yn llais y dyn. Ac am y tro cyntaf doedd o ddim wedi'i alw'n 'Dwbwl-0 Dim Byd'.

'Finna chwaith,' meddai Alecs.

Roedd Blaidd yn gwyro dros rywbeth y gobeithiai fyddai'n tyfu'n dân gwersyll, gan geisio'i gynnau â dwy garreg callestr, tra gwyliai Llwynog ac Eryr. Roedd yn methu'n llwyr. Dim ond y gwreichion lleiaf oedd yn dod o'r ddwy garreg, ac roedd y darnau papur newydd a dail roedd wedi eu casglu'n llawer rhy wlyb yn barod. Trawodd Blaidd y cerrig drosodd a throsodd. Gwyliodd y lleill, eu hwynebau'n hir.

Estynnodd Alecs y blwch matsys roedd wedi ei ladrata o boced y rhingyll pan ffugiodd faglu wrth droed y graig.

'Mi alla'r rhain fod o help,' meddai.

Taflodd y matsys ar lawr, ac aeth i'w babell.

NID TOYS 'R' US

Yn y swyddfa yn Llundain, eisteddai Mrs Jones yn disgwyl tra darllenai Alan Blunt yr adroddiad. Tywynnai'r haul. Brasgamai colomen yn ôl a blaen fel gwyliwr ar hyd y sil ffenest tu allan.

'Mae o'n gwneud yn dda iawn,' meddai Blunt o'r diwedd. 'Yn anghyffredin o dda, a dweud y gwir.' Trodd y dudalen. 'Mi gollodd yr ymarfer saethu, dwi'n gweld.'

'Oeddech chi'n bwriadu rhoi gwn iddo fo?' gofynnodd Mrs Jones.

'Na. Dwi ddim yn credu y byddai hynny'n syniad da.'

'Felly pam yr angen am ymarfer targed?'

Cododd Blunt un ael. 'Allwn ni ddim rhoi gwn i fachgen yn ei arddegau,' meddai. 'Ar y llaw arall, allwn ni mo'i anfon o i Borth Tallon yn waglaw. Well i chi gael gair efo Smithers.'

'Dwi wedi gwneud hynny. Mae o'n gweithio ar y peth yn barod.'

Cododd Mrs Jones fel petai ar fin gadael, ond oedodd wrth y drws. 'Falle bod Rider wedi bod yn ei baratoi ar gyfer hyn ar hyd yr amser. Ydach chi wedi ystyried hynny?'

'Dwi ddim yn eich deall chi.'

'Paratoi Alecs i gymryd ei le fo. Byth er pan

oedd o'n gallu cerdded, mae'r bachgen wedi bod yn cael hyfforddiant fel ysbïwr … ond heb iddo sylweddoli hynny. Mae o wedi byw dramor, fel ei fod erbyn hyn yn siarad Ffrangeg, Almaeneg a Sbaeneg. Mynydda, plymio, sgio. Mae o wedi dysgu Karate. Mae o'n fachgen heini tu hwnt. Mae gen i syniad fod Rider am i Alecs fynd yn sbïwr.'

'Ond nid mor fuan â hyn,' meddai Blunt.

'Cytuno. Mi wyddoch chi cystal â minnau, Alan – dydi o ddim yn barod eto. Os gyrrwn ni o i mewn i Antur Sayle, cael ei ladd fydd ei hanes o.'

'Efallai.' Un gair oeraidd, ffeithiol.

'Pedair ar ddeg ydi o! Fedrwn ni ddim gwneud hyn.'

'Mae'n rhaid inni.' Cododd Blunt ac agor y ffenest, gan ollwng yr aer a sŵn y traffig i mewn i'r ystafell. Taflodd y golomen ei hun oddi ar y sil ffenest, wedi ei dychryn. 'Mae'r holl beth yn fy mhoeni i,' meddai. 'Mae'r Prif Weinidog yn gweld y Tarandon fel y *coup* pennaf, iddo fo ac i'w Lywodraeth. Ond eto mae 'na rywbeth ynghylch Herod Sayle nad ydw i'n ei hoffi, rhywbeth sy … ddim yn iawn. Ddeudsoch chi wrth y bachgen am Yassen Gregorovitch?'

'Naddo.' Ysgydwodd Mrs Jones ei phen.

'Yna mae hi'n bryd ichi wneud. Yassen ydi'r

dyn laddodd ei ewythr o. Dwi'n sicr o hynny. Ac os mai gweithio i Sayle oedd Yassen –'

'A beth wnewch chi os lladdith Yassen Alecs Rider?'

'Nid ein problem ni, Mrs Jones. Os caiff y bachgen ei ladd, yna dyna'r prawf terfynol bod rhywbeth o'i le. O leia wedyn mi alla i ohirio prosiect y Tarandon a chael cyfle i ystyried o ddifri beth sy'n digwydd ym Mhorth Tallon. Bron na fyddai o fudd inni petai'r bachgen *yn* cael ei ladd.'

'Dydi'r bachgen ddim yn barod eto. Mae o'n siŵr o wneud camgymeriadau. Fyddan nhw fawr o dro'n darganfod pwy ydi o.' Ochneidiodd Mrs Jones. 'Dwi ddim yn credu fod gan Alecs fawr o obaith o gwbl.'

'Dwi'n cytuno.' Trodd Blunt yn ôl o'r ffenest. Taflai'r haul ei belydrau dros ei ysgwydd. Disgynnodd cysgod ar draws ei wyneb. 'Ond mae'n rhy hwyr i boeni am hynny rŵan,' meddai. 'Does dim amser. Stopiwch yr hyfforddiant. Anfonwch o i mewn.'

Eisteddai Alecs ar ei gwrcwd yng nghefn yr awyren C-130 o eiddo'r awyrlu; hedfanai'r awyren yn isel a chorddai stumog Alecs y tu ôl i'w bengliniau. O'i gwmpas, eisteddai deuddeg dyn mewn dwy res – ei uned ei hun a dwy uned arall. Am yr awr ddiwethaf roedd yr awyren wedi bod yn hedfan ar uchder o ddim mwy na chan metr, yn dilyn cymoedd de Cymru, yn gostwng a throi er mwyn osgoi'r copaon. Tywynnai un bylb coch y tu ôl i gawell wifrog, gan ychwanegu at y gwres yn y caban cyfyng. Teimlai Alecs ddirgrynu peiriannau'r awyren yn treiddio drwy ei gorff. Roedd fel petai'n teithio mewn rhyw gyfuniad o sychwr dillad a meicrodon.

Fe fyddai'r syniad o neidio allan o awyren dan ambarél sidan enfawr wedi codi llond bol o ofn ar Alecs – ond y bore hwnnw cafodd wybod na fyddai o ei hun yn neidio. Neges o Lundain. Allen nhw ddim fforddio iddo dorri coes, meddai'r neges, a dyfalodd Alecs fod ei hyfforddiant bron ar ben. Serch hynny, cafodd ei ddysgu sut i lapio parasiwt, sut i'w reoli, sut i neidio o'r awyren a sut i lanio, ac ar ddiwedd y dydd cafodd orchymyn gan y rhingyll i ymuno â'r awyren – dim ond er mwyn y profiad. Erbyn hyn, yn agos i'r parth neidio, teimlai Alecs ryw fath o siom. Byddai'n gwylio pawb arall yn neidio ac yna'n cael ei adael ar ei ben ei hun.

'P minws pump…'

Daeth llais y peilot o'r uchelseinydd, yn bell ac yn fetalaidd. Sgyrnygodd Alecs ei ddannedd. Pum munud tan y naid. Edrychodd ar y dynion yn shyfflan i'w safleoedd, gan brofi'r llinynnau a'u cysylltai â'r llinyn parhaol. Blaidd oedd yn eistedd agosaf ato. Synnai Alecs mor llonydd, mor dawel oedd y dyn. Anodd oedd gweld yn y lled-olau, ond bron na ddywedai Alecs mai ofn a welai ar ei wyneb.

Daeth sŵn grwnan uchel o'r seinydd a throdd y golau o goch i wyrdd. Roedd y peilot cynorthwyol wedi dringo drwodd o'r cocpit. Estynnodd ei law at ddolen ac agor drws yng nghefn yr awyren, gan greu chwa sydyn o wynt oer. Gwelai Alecs un sgwâr o'r nos dywyll. Roedd hi'n glawio, a sŵn y glaw'n crochlefain heibio.

Doohrouodd y golau gwyrdd fflachio. Tapiodd y peilot cynorthwyol y ddau gyntaf ar eu hysgwyddau a gwyliodd Alecs nhw'n symud draw i'r ochr ac yna'n eu taflu'u hunain allan. Am eiliad roeddent yno, wedi eu rhewi yn y drws. Yna roedden nhw wedi diflannu, fel ffotograff wedi ei grychu a'i gipio i ffwrdd ar y gwynt. Dilynodd dau arall. Dau arall wedyn, gan adael un pâr heb neidio eto.

Taflodd Alecs gipolwg ar Blaidd, a oedd mewn trafferth â darn o'i offer, yn ôl pob golwg. Symudai ei bartner tua'r drws hebddo, ond edrychai Blaidd i lawr o hyd.

Neidiodd y dyn arall. Sylweddolodd Alecs yn

sydyn mai fo'i hun a Blaidd oedd yr unig rai oedd ar ôl.

'Symuda!' gwaeddodd y peilot cynorthwyol uwchlaw rhu'r peiriannau.

Cododd Blaidd ar ei draed. Daeth lygad yn llygad ag Alecs, a'r eiliad honno roedd Alecs yn gwybod. Roedd Blaidd yn arweinydd poblogaidd. Roedd yn galed ac yn gyflym, a gallai gwblhau heic pedwar deg cilometr fel pe bai'n ddim mwy na thro bach drwy'r caeau. Ond roedd ganddo un man gwan. Rywsut roedd wedi ei gynhyrfu gan y naid barasiwt yma, ac roedd wedi ei ddychryn ormod i symud. Anodd credu, ond yno y safai, wedi ei fferru yn y drws, ei freichiau'n dynn, yn syllu allan. Trodd Alecs ei ben. Roedd y peilot cynorthwyol yn edrych i'r cyfeiriad arall. Welodd o ddim beth oedd yn digwydd. A phan welai o? Os methai Blaidd â chyflawni'r naid, byddai'n ddiwedd ar ei hyfforddiant ac efallai ar ei yrfa hefyd. Byddai hyd yn oed petruso'n ddigon. Byddai'n siŵr o gael ei finio.

Meddyliodd Alecs am eiliad. Doedd Blaidd heb symud. Gwelai Alecs ei ysgwyddau'n codi ac yn gostwng wrth iddo geisio'r dewrder i neidio. Aeth deg eiliad heibio. Mwy, efallai. Roedd y peilot cynorthwyol yn gwyro i lawr, yn cadw darn o'r offer. Cododd Alecs. 'Blaidd,' meddai. Doedd Blaidd ddim wedi ei glywed, hyd yn oed.

Cymerodd Alecs un cip cyflym ar y peilot cynorthwyol, yna ciciodd â'i holl nerth. Trawodd ei droed yn galed ym mhen-ôl Blaidd. Roedd wedi rhoi ei holl nerth yn yr ergyd. Â'i ddwylo'n estyn o'i flaen mewn syndod, plymiodd Blaidd allan i ddüwch y gwynt.

Trodd y peilot cynorthwyol ei wyneb a gweld Alecs. 'Be ti'n wneud?' gwaeddodd.

''Mond 'mestyn 'y nghoesau,' gwaeddodd Alecs yn ateb.

Trodd yr awyren trwy'r awyr a dechrau'r daith yn ôl.

Pan gerddodd i mewn i'r hangar roedd Mrs Jones yn aros amdano. Eisteddai y tu ôl i fwrdd, wedi ei gwisgo mewn siaced a throwsus o sidan llwyd, a hances ddu'n llifo i lawr o'i phoced uchaf. Am eiliad doedd hi ddim yn ei adnabod. Gwisgai Alecs siwt awyrwr. Roedd ei wallt yn wlyb gan y glaw. Roedd ôl blinder ar ei wyneb, ac roedd yn ymddangos fel pe bai wedi heneiddio'n gyflym. Nid oedd yr un o'r dynion wedi cyrraedd yn ôl eto. Anfonwyd lori i'w cyrchu o gae ryw dri chilometr i ffwrdd.

'Alecs?' meddai hi.

Edrychodd Alecs arni heb ddweud gair.

'Fy mhenderfyniad i oedd dy rwystro di rhag neidio,' meddai. 'Gobeithio nad wyt ti wedi dy siomi. Meddwl ei fod o'n ormod o risg, dyna i gyd. Plîs. Eistedda.'

Eisteddodd Alecs gyferbyn â hi.

'Mae gen i rywbeth allai godi dy galon,' meddai. 'Chydig o deganau i ti.'

'Dwi'n rhy hen i gael teganau,' meddai Alecs.

'Ond dim y teganau yma.'

Rhoddodd arwydd a daeth dyn i'r golwg, yn cerdded o'r cysgodion, gan gario hambwrdd yn llawn offer, a'i osod ar y bwrdd. Roedd y dyn yn anferthol o dew. Wrth iddo eistedd, diflannodd y gadair fetel o dan led ei ben-ôl, a synnodd Alecs fod y gadair yn medru dal ei bwysau o gwbl. Roedd ei ben yn foel, a chanddo fwstás du a sawl gên, pob un yn ymdoddi i'r nesaf, ac yn y pen draw i'w wddw a'i ysgwyddau. Gwisgai siwt â streipen gul ynddi, a gymerodd ddigon o frethyn i wneud pabell, mae'n siŵr.

'Smithers,' meddai, gan nodio'i ben ar Alecs. 'Braf iawn cwrdd â ti, fachan.'

'Be sy gennych chi iddo fo?' gofynnodd Mrs Jones.

'Gelon ni ddim llawer o amser, mae arna i

ofan, Mrs J,' atebodd Smithers. 'Yr her o'dd i ddychmygu beth alle crwt peder ar ddeg fod yn 'i gario gydag e – a'i addasu.' Cododd y peth cyntaf oddi ar yr hambwrdd. Io-io. Ychydig yn fwy nag arfer, o blastig du. 'Hwn i ddachre,' meddai Smithers.

Ysgydwodd Alecs ei ben. 'Peidiwch â deud!' meddai. 'Rhyw fath o arf cudd ydi o …'

'Nage'n hollol. Wedon nhw 'tho i nag o't ti i fod i ga'l arfe. Ti'n rhy ifanc.'

'Felly ddim rhyw fath o grenâd ydi o go iawn? Tynnu'r llinyn a dengid fel cath i gythraul?'

'Iyffach, na. Io-io yw e.' Estynnodd Smithers y llinyn, gan ei ddal rhwng bys a bawd tew. 'Ta p'un 'nny, mae'r llinyn yn fath arbennig o neilon. Blaengar iawn. Mae tri deg metr ohono fe ac fe all e ddala pwyse o hyd at gan cilogram. Mae 'da'r io-io 'i hunan fotor bach, ac mae'n clipan ar dy felt. Defnyddiol iawn i ddringo.'

'Anhygoel.' Diflas iawn, meddyliodd Alecs.

'Ac wedi 'nny mae hyn.' Estynnodd Smithers diwb bychan. Darllenodd Alecs ei ochr: PLÔR-LÂN, AM GROEN IACH. 'Nage dim byd personol,' ychwanegodd Smithers, 'ond ro'n ni'n credu 'i fod e'n rhywbeth y galle crwt o d'oedran di 'i ddefnyddio. A mae fe'n itha arbennig.' Agorodd y tiwb a gwasgu ychydig o'r eli ar ei fys. 'Hollol ddiniwed pan w't ti'n 'i gwffwrdd e. Ond dod e i gwffwrdd â metal a mae 'ddi'n stori arall yn gyfan gwbwl.' Sychodd ei fys, gan daenu'r eli ar wyneb y bwrdd. Am eiliad ni ddigwyddodd dim. Yna troellodd blewyn o fwg chwerw ei arogl i fyny a daeth twll miniog i'r golwg yn y bwrdd. 'Fe wneiff e 'nny i unrhyw fetel, weden i,' eglurodd Smithers. 'Defnyddiol iawn os ti moyn torri drwy glo.' Estynnodd hances a sychu ei fys yn lân.

'Unrhyw beth arall?' gofynnodd Mrs Jones.

'O, o's, Mrs J. Fe allsech chi weud taw hyn yw'n *pièce de résistance* ni.' Cododd focs lliwgar oedd yn hawdd i Alecs ei adnabod fel Nintendo Game Boy Color. 'Pa grwt yn ei arddege fydde'n folon heb un o'r rhain?' meddai. 'Mae hwn yn dod 'da peder gêm. A'r peth gore oll yw fod pob gêm yn troi'r cyfrifiadur i fod yn rhywbeth hollol wahanol.'

Dangosodd y gêm gyntaf i Alecs. 'Os w't ti'n llwytho Nemesis, mae'r cyfrifiadur yn troi yn ffacs/ffotogopïwr, sy'n dy roi di mewn cysylltiad uniongyrchol 'da ni, a fel arall ambiti.' Gêm arall. 'Mae Exocet yn troi'r cyfrifiadur i fod yn ddyfais belydr-X. Mae 'da fe ffwythiant clywedol hefyd. Mae'r clustffone'n ddefnyddiol i glustfeinio. Dyw e ddim mor bwerus ag yr hoffwn i iddo fe fod, ond ry'n ni'n gwitho ar y peth. Chwiliwr bygs yw'r gêm

Rhyfeloedd Cyflymder. Rwy'n cynnig dy fod ti'n 'i ddefnyddio fe'r funed ma'n nhw'n mynd â ti i d'ystafell. Ac yn olaf … Bachgen y Bomie.'

'Dwi'n cael chwarae honna?' gofynnodd Alecs.

'Ti'n cael whare'r beder. Ond fel mae'r enw'n awgrymu, bom mwg yw hon mewn gwirionedd. Ti'n gadel cetrisen y gêm rywle yn y stafell a phwyso START deirgwaith ar y consol ac mae'n tanio. *Camouflage* defnyddiol os ti'n moyn dianc yn glou.'

'Diolch, Smithers,' meddai Mrs Jones.

'Â chroeso, Mrs J.' Cododd Smithers, ei goesau'n gwegian wrth gynnal y pwysau mawr. 'Gobeitho dy weld ti 'to, Alecs. Fuo 'rioed raid i fi ddarparu offer i grwt o'r bla'n. Siŵr y galla i ddyfeisio llond ca' o syniade gorwych.'

I ffwrdd â Smithers gan hercian-cerdded, a diflannu dwy ddrws a gaeodd o'i ôl â chlep.

Trodd Mrs Jones at Alecs. 'Byddi di'n cychwyn fory am Borth Tallon,' meddai. 'Dan yr enw Felix Lester fyddi di'n teithio.' Estynnodd blygell iddo. 'Rydan ni wedi gyrru'r Felix Lester iawn ar wyliau i'r Alban. Mi gei di bob dim sydd raid ei wybod amdano fo yn fan hyn.'

'Mi ddarllena i o yn y gwely.'

'Iawn.' Yn sydyn trodd ei golwg yn ddifrifol, a

phendronodd Alecs tybed a oedd ganddi blant. Os felly, gallai'n hawdd fod yn fam i fachgen o'r un oed ag yntau. Estynnodd hi ffotograff du a gwyn a'i osod ar y bwrdd. Llun oedd o o ddyn ifanc mewn crys-T gwyn a jîns. Roedd yn ei ugeiniau hwyr, a chanddo wallt melyn cwta, wyneb llyfn a chorff dawnsiwr. Braidd yn aneglur oedd y llun. Roedd wedi ei dynnu o bellter, fel petai â chamera cudd. 'Mi hoffwn i iti edrych ar hwn,' meddai.

'Dwi'n edrych.'

'Yassen Gregorovitch ydi ei enw. Ganwyd o yn Rwsia, ond erbyn hyn mae'n gweithio i sawl gwlad. Rhoddodd Irac waith iddo fo. Serbia hefyd, Libya a Tsieina.'

'Be mae o'n wneud?' gofynnodd Alecs, er ei fod bron yn gallu dyfalu'r ateb wrth edrych ar wyneb oeraidd y llun, y llygaid gwag, dirgel.

'Llofrudd dan gytundeb ydi o, Alecs. Fo, 'dan ni'n credu, laddodd Ian Rider.'

Saib hir. Syllodd Alecs ar y llun, gan geisio'i argraffu ar ei gof.

'Chwe mis yn ôl tynnwyd y ffotograff yma, yng Nghiwba. Cyd-ddigwyddiad, fallai, ond roedd Herod Sayle yno'r un pryd. Gallai'r ddau fod wedi cyfarfod. Ac un peth arall.' Arhosodd am eiliad. 'Defnyddiodd Rider god yn ei neges olaf.

Un llythyren. Y.'

'Y am Yassen.'

'Mae'n rhaid ei fod o wedi gweld Yassen rywle ym Mhorth Tallon. Roedd o am inni wybod –'

'Pam deud hyn wrtha i rŵan?' gofynnodd Alecs.

'Achos os gweli di o – os ydi Yassen yn unrhyw le ar gyfyl Antur Sayle – dwi isio iti gysylltu efo ni ar unwaith.'

'Ac wedyn?'

'Mi wnawn ni dy dynnu di allan. Os ceith Yassen wybod dy fod ti'n gweithio i ni, mi wnaiff o dy ladd ditha hefyd.'

Gwenodd Alecs. 'Dwi'n rhy ifanc iddo gymryd diddordeb ynof fi,' meddai.

'Na.' Cymerodd Mrs Jones y ffotograff yn ôl. 'Cofia un peth, Alecs Rider, dwyt ti byth yn rhy ifanc i farw.'

Cododd Alecs.

'Byddi di'n gadael bore fory am wyth o'r gloch,' meddai Mrs Jones. 'Bydd yn ofalus, Alecs. A phob lwc.'

Cerddodd Alecs ar draws yr hangar, a sŵn ei draed yn atseinio. Tu ôl iddo tynnodd Mrs Jones y papur oddi ar dda-da mint, a'i daro yn ei cheg. Roedd arogl cynnil mint ar ei hanadl bob amser. Fel Pennaeth Gweithredoedd Arbennig, sawl dyn yrrwyd ganddi i'w dranc? Ian Rider ac efallai ddwsinau o rai eraill. Efallai ei bod yn rhwyddach iddi wneud hynny â'i hanadl yn felys.

Gwelodd Alecs symud o'i flaen a sylweddolodd bod y parasiwtwyr wedi cyrraedd yn ôl o'u naid. Roeddent yn cerdded tuag ato o'r tywyllwch, gyda Blaidd a dynion eraill Uned K ar y blaen. Ceisiodd Alecs gamu heibio iddyn nhw, ond roedd Blaidd yn sefyll yn ei ffordd.

'Ti'n mynd,' meddai Blaidd. Mae'n rhaid ei fod wedi clywed rywsut fod hyfforddiant Alecs ar ben.

'Ydw.'

Saib hir. 'Be 'nath ddigwydd ar y plên, 'de ...' dechreuodd.

'Anghofia'r peth, Blaidd,' meddai Alecs. 'Ddigwyddodd 'na ddim byd. Mi neidist ti a wnes inna ddim, 'na'r cwbl.'

Estynnodd Blaidd ei law. 'Dwi isio chdi wbod ... o'n i'n rong amdanat ti, ia. Sori am roi amsar mor galad i chdi. Ond mi w't ti'n oreit. A ella ... ryw ddwrnod, 'sa'n dda ca'l gwithio 'fo chdi.'

'Wyddost ti byth,' meddai Alecs.

Ysgwyd llaw.

'Pob lwc i chdi, Cena.'

'Hwyl, Blaidd.'

Camodd Alecs allan i'r tywyllwch.

PHYSALIA PHYSALIS

Teithiai'r Mercedes SL600 llwyd-arian yn esmwyth i lawr y draffordd, i gyfeiriad y de. Roedd Alecs yn eistedd yn sedd y cyd-deithiwr, a chymaint o ledr meddal o'i gwmpas fel mai prin y gallai glywed y peiriant 389-marchnerth, 6-litr oedd yn ei gario tua chanolfan Sayle ger Porth Tallon, Cernyw. Hyd yn oed ar wyth deg milltir yr awr, roedd y modur yn gweithio'n ddiymdrech. Gallai Alecs deimlo nerth y car. Gwerth can mil o bunnau o beirianneg yr Almaen. Un cyffyrddiad gan y gyrrwr main, diwên ac fe fyddai'r Mercedes yn llamu ymlaen. Dyma gar oedd yn crechwenu ar gyfyngiadau cyflymder.

Cafodd Alecs ei gasglu'r bore hwnnw o eglwys wedi ei haddasu yn Hampstead, gogledd Llundain. Dyma ble'r oedd Felix Lester yn byw. Roedd Alecs wedi bod yn disgwyl efo'i fagiau ac roedd dynes yno – un o swyddogion MI6 – yn ei gusanu, yn dweud wrtho am gofio glanhau ei ddannedd, yn codi llaw arno. Hyd y gwyddai'r gyrrwr, Alecs oedd Felix. Y bore hwnnw roedd Alecs wedi darllen drwy'r ffeil a gwyddai fod Felix yn mynd i ysgol o'r enw St Anthony, bod ganddo ddwy chwaer a chi Labrador. Pensaer oedd ei dad. Roedd ei fam yn cynllunio gemwaith. Teulu hapus – teulu Alecs, pe bai unrhyw un yn gofyn.

'Pa mor bell ydi hi i Borth Tallon?' gofynnodd.

Hyd yma, prin roedd y gyrrwr wedi siarad. Atebodd heb edrych ar Alecs. 'Ychydig orie. Ti moyn cerddorieth?'

'Oes 'na John Lennon?' Nid ei ddewis o oedd hyn. Roedd y ffeil yn dweud bod Felix Lester yn hoffi John Lennon.

'Nacoes.'

'Anghofiwch o. Mi gysga i chydig.'

Roedd angen cwsg arno. Roedd wedi blino'n lân ar ôl y cwrs hyfforddi ac yn meddwl tybed sut roedd o am egluro'r holl friwiau a'r cleisiau petai rhywun yn gweld ei groen dan ei grys. Fallai y byddai'n dweud ei fod yn cael ei fwlio yn yr ysgol. Caeodd ei lygaid a gadael i'r lledr ei sugno i lawr i'w gwsg.

Y teimlad fod y car yn arafu a'i dihunodd. Agorodd ei lygaid a gweld pentref pysgota, y môr yn las tu draw iddo, clytwaith o fryniau gwyrdd, tonnog ac awyr ddi-gwmwl. Roedd yn ddarlun oddi ar glawr pos jig-so, neu fallai o daflen yn hysbysebu rhyw fyd o'r gorffennol pell. Plymiai a sgrechiai gwylanod uwchben. Tynnodd hen gwch i mewn wrth y cei, yn bentwr blêr o rwydi, mwg, a phaent yn plicio. Roedd ychydig o'r pentrefwyr – pysgotwyr a'u gwragedd – yn sefyll o amgylch yn gwylio. Tua phump o'r gloch y pnawn oedd hi, a'r pentref wedi'i ddal yn y golau arian, tenau hwnnw sy'n dod ar ddiwedd diwrnod perffaith o wanwyn.

'Porth Tallon,' meddai'r gyrrwr. Mae'n rhaid ei fod wedi sylwi ar Alecs yn agor ei lygaid.

'Mae'n dlws.'

'Ddim os taw pysgodyn wyt ti.'

Gyrrodd y car o amgylch cyrion y pentref ac yn ôl am y tir, ar hyd lôn fach a droellai rhwng caeau ag ynddynt bonciau anghyffredin yr olwg. Gwelodd Alecs adfeilion adeiladau, simneiau wedi hanner syrthio ac olwynion haearn rhydlyd, a gwyddai ei fod· yn edrych ar hen fwynglawdd tun. Roeddent wedi mwyngloddio tun am dair mil o flynyddoedd yng Nghernyw, hyd nes i'r tun ddod i ben un diwrnod. Y cyfan oedd ar ôl bellach oedd y tyllau.

Rhyw gilometr neu ddau i lawr y lôn daeth ffens weiren ddolennog i'r golwg. Roedd y ffens yn newydd sbon, deg metr o uchder, a weiren rasel ar ei phen. Roedd arc-lampau ar dyrau o sgaffaldwaith bob hyn a hyn, ac arwyddion anferth, mewn coch ar wyn. Byddai rhywun yn gallu eu darllen o'r sir nesaf.

ANTUR
SAYLE

HOLLOL BREIFAT

'Bydd tresmaswyr yn cael eu saethu,' mwmiodd Alecs dan ei wynt. Cofiodd beth oedd Mrs Jones wedi'i ddweud wrtho. *Mae ganddo ei fyddin breifat ei hun, fwy neu lai. Mae'n ymddwyn fel pe bai ganddo fo rywbeth i'w guddio.* Wel, dyna'n sicr oedd ei argraff gyntaf yntau hefyd. Roedd y ganolfan gyfan rywsut yn ysgytwol, yn estron i lethrau'r bryniau a'r caeau.

Cyrhaeddodd y car y brif fynedfa, lle'r oedd caban diogelwch a rhwystr electronig. Cawsant eu chwifio ymlaen gan warchodwr mewn lifrai glas a llwyd ag **AS** wedi'i argraffu ar ei siaced. Cododd y rhwystr yn awtomatig. Ac yna roeddent yn dilyn ffordd hir, syth, dros ddarn o dir oedd rywsut wedi cael ei ddyrnu'n wastad, gyda llain lanio i awyrennau ar un ochr i'r ffordd a chlwstwr o adeiladau modern ar y llall. Roedd yr adeiladau'n fawr, o wydr du a dur, pob un wedi ei gysylltu â'r nesaf gan rodfa dan do. Roedd dwy awyren ger y llain lanio –

hofrennydd ac awyren nwyddau fechan. Gwnaethant argraff ar Alecs. Dyfalodd fod y ganolfan gyfan yn agos i bum cilometr sgwâr. Roedd yn fenter sylweddol iawn.

Daeth y Mercedes at gylchfan â phistyll yn ei chanol, ysgubo o'i chwmpas ac ymlaen i gyfeiriad tŷ gwasgarog, anhygoel. Roedd yn dyddio o oes Fictoria, wedi'i adeiladu o frics coch, a chanddo dyrau pigfain a thoeau crwn o gopor oedd wedi troi'n wyrdd ers peth amser. Roedd o leiaf drigain o ffenestri ar y pum llawr a wynebai'r llwybr. Roedd fel tŷ oedd wedi tyfu'n fwy nag y bwriadwyd.

Arhosodd y Mercedes wrth y brif fynedfa ac aeth y gyrrwr allan. 'Dilyn fi,' meddai.

'Be am fy mhethau i?' gofynnodd Alecs.

'Fe ddaw rhywun â nhw.'

Aeth y gyrrwr ag Alecs drwy'r drws mawr ac i mewn i neuadd lle teyrnasai darlun enfawr – Dydd y Farn, diwedd y byd, wedi ei beintio bedair canrif yn ôl, yn dyrfa droellog o eneidiau coll a diafoliaid. Roedd gweithiau celf ymhobman. Dyfrlliwiau, olew, printiadau, lluniau, cerfluniau mewn carreg ac efydd, y cyfan wedi eu gwasgu at ei gilydd heb i lygad gael lle i orffwys. Dilynodd Alecs y gyrrwr ar hyd carped oedd mor drwchus fel ei fod bron yn bownsio ar ei hyd. Roedd yn dechrau teimlo fel pe bai'r lle yn cau amdano, ond daeth rhyddhad wedyn wrth iddo fynd trwy ddrws a chyrraedd stafell anferth oedd bron yn wag.

'Bydd Mr Sayle yma'n fuan,' meddai'r gyrrwr, a'i adael yno ar ei ben ei hun.

Edrychodd Alecs o'i amgylch. Stafell fodern oedd hon, gyda desg ddur ar dro yn agos i ganol y llawr, lampau halogen wedi eu lleoli'n ofalus, a grisiau tro yn arwain i lawr o gylch perffaith oedd wedi'i dorri yn y nenfwd uwchben. Roedd un wal gyfan wedi ei gwneud o wydr, ac wrth gerdded tuag ati sylweddolodd Alecs ei fod yn edrych ar acwariwm anferthol. Roedd maint y peth yn ddigon i'w ddenu ato. Roedd yn anodd dychmygu sawl mil o litrau o ddŵr roedd y gwydr yn ei ddal yn ôl, ond synnodd o weld bod y tanc yn wag. Doedd dim un pysgodyn ynddo, er ei fod yn ddigon mawr i ddal siarc.

Ac yna symudodd rhywbeth yn y cysgodion gwyrddlas, ac ebychodd Alecs mewn cymysgedd o arswyd a rhyfeddod wrth i'r slefren fôr fwyaf a welsai erioed lithro'n araf i'r golwg. Corff symudliw, dirgrynnol o wyn a phiws golau oedd prif ran y creadur, yn debyg i gôn o ran siâp. Islaw, roedd llu o dentaclau wedi eu gorchuddio â phigwyr crwn yn cordeddu yn y dŵr, a'r rheiny o leiaf ddeng metr o hyd. Fel y symudai'r slefren, neu wrth iddi gael ei chario gan lif y dŵr, troellai ei thentaclau yn erbyn y gwydr nes yr edrychai bron fel pe bai'n ceisio torri allan. Hwn oedd y peth mwyaf arswydus a ffiaidd roedd Alecs wedi'i weld erioed.

'*Physalia physalis.*' Daeth y llais o'r tu ôl iddo; trodd Alecs a gweld dyn yn dod i lawr y grisiau.

Dyn byr oedd Herod Sayle. Roedd mor fyr fel mai'r argraff gyntaf gafodd Alecs oedd ei fod yn edrych ar adlewyrchiad oedd wedi ei ystumio rywsut. Yn ei siwt ddu, ddrud, fel pìn mewn papur, ei fodrwy aur drom a'i esgidiau du, gloyw-lân, edrychai fel model ar raddfa o ddyn busnes oedd yn filiwnydd sawl gwaith drosodd. Roedd ei groen yn dywyll iawn, fel bod ei ddannedd yn disgleirio pan fyddai'n gwenu. Roedd ganddo ben crwn, moel a llygaid erchyll. Roedd yr irisau llwyd yn rhy fach, wedi eu hamgylchynnu'n llwyr â gwyn. Roeddent yn atgoffa Alecs o benbyliaid cyn deor o'r wy. Pan safai Sayle nesaf ato roedd y llygaid bron ar yr un uchder â'i lygaid ei hun, ac yn dal llai o gynhesrwydd na'r slefren fôr.

'Y swigen fôr,' ychwanegodd Sayle. Roedd yr acen gref wedi aros gydag o ers dyddiau marchnad Beirut. 'Mae'n hardd, y't ti ddim yn credu?'

'Faswn i ddim isio cadw un fel anifail anwes,'

meddai Alecs.

'Digwyddais daro ar hon wrth blymio ym Môr De Tsieina.' Gwnaeth Sayle ystum i gyfeiriad cas arddangos gwydr, a sylwodd Alecs ar dri gwn harpŵn a chasgliad o gyllyll yn gorffwys mewn agennau melfed. 'Rwy'n hoff iawn o ladd pysgod,' meddai Sayle wedyn, 'Ond pan weles i'r enghraifft yma o *Physalia physalis* roeddwn i'n gwybod bod rhaid i fi 'i dala hi a'i chadw hi. Ti'n gweld, mae hi'n f'atgoffa fi o fi'n hunan.'

'Mae hi'n naw-deg-naw y cant yn ddŵr. Does ganddi ddim ymennydd, dim coluddion, dim anws.' Roedd Alecs wedi llusgo'r ffeithiau i fyny o rywle ac wedi'u dweud nhw cyn iddo sylweddoli beth oedd yn ei wneud.

Taflodd Sayle gip ato yna trodd yn ôl at y creadur oedd yn hofran uwch ei ben yn ei danc. 'Un ar y cyrion yw hi,' meddai. 'Mae'n llusgo ar ei phen ei hunan, wedi'i hanwybyddu gan y pysgod eraill. Mae hi'n dawel ac eto i gyd yn mynnu parch. Ti'n gweld y nematosystau, Mr Lester? Y celloedd pigo? Petaet ti'n cael dy hunan wedi'th lapio yn rheina fe fydde'n farwolaeth lesmeiriol.'

'Galwch fi'n Alecs,' meddai Alecs.

Felix roedd wedi bwriadu ei ddweud, ond rywsut fe lithrodd allan. Y camgymeriad mwyaf dwl, mwyaf amaturaidd y gallai fod wedi'i wneud. Ond roedd wedi cael ei daflu oddi ar ei echel gan y ffordd roedd Sayle wedi ymddangos, a dawns araf, hypnotaidd y slefren fôr.

Gwingodd y llygaid llwyd. 'Ro'n i'n meddwl taw Felix oedd dy enw di.'

'Mae fy ffrindia yn 'y ngalw i'n Alecs.'

'Pam?'

'Ar ôl Alex Ferguson. Dwi'n ffan mawr o Manchester United.' Dyna'r peth cyntaf allai Alecs feddwl amdano. Ond roedd wedi gweld poster pêl-droed yn stafell wely Felix Lester, ac roedd yn gwybod o leiaf ei fod wedi dewis y garfan gywir.

Gwenodd Sayle. 'Mae hynna'n ddoniol iawn. Alecs geith e fod. Ac rwy'n gobitho y byddwn ni'n ffrindie, Alecs. Rwyt ti'n grwt ffodus iawn. Ti enillodd y gystadleueth a ti fydd y bachgen ifanc cynta i roi cynnig ar fy nghyfrifiadur, y Tarandon. Ond mae hyn yn ffodus i mi hefyd, rwy'n credu. Dwi moyn gwybod beth wyt ti'n feddwl ohono fe. Dwi am i ti ddweud wrtha i beth ti'n hoffi … beth ti ddim.' Llithrodd y llygaid i ffwrdd ac yn sydyn roedd yn ddifrifol. 'Tri diwrnod yn unig sy 'da ni hyd y lansiad. Well i ni *bledi* siapo 'ddi, fel bydde fy nhad yn 'i weud. Fe gaiff fy machan i fynd â ti i dy stafell, a bore fory, cynta alli di, rhaid i ti ddechre gwitho. Mae 'na raglen Fathemateg sy raid i ti 'i thrial ... ieithoedd hefyd. Yma yn Antur Sayle y cafodd y meddalwedd i gyd ei datblygu. Wrth gwrs, y'n ni wedi siarad 'da phlant. Y'n ni wedi mynd at athrawon, arbenigwyr addysg. Ond ti, fy ... Alecs annwyl. Byddi di o fwy o werth i fi na phob un ohonyn nhw gyda'i gilydd.'

Wrth siarad, roedd Sayle wedi bywiogi, wedi ymgolli yn ei frwdfrydedd ei hun. Roedd wedi troi'n ddyn hollol wahanol. Byddai Alecs yn cyfaddef nad oedd wedi hoffi Herod Sayle o'r munud cyntaf. Roedd yn hawdd iawn deall pam fod Blunt a phobl MI6 yn ei amau. Ond bellach roedd yn rhaid iddo ailfeddwl. Roedd yn sefyll gyferbyn ag un o'r dynion mwyaf cyfoethog ym Mhrydain, dyn oedd wedi penderfynu, o wirfodd ei galon, rhoi anrheg enfawr i ysgolion y wlad. Roedd yn ddyn bach, seimllyd, ond doedd dim rhaid i hynny olygu ei fod yn elyn. Efallai fod Blunt yn anghywir wedi'r cwbl.

'A! Dyma fe 'machan i nawr,' meddai Sayle. 'A hen *bledi* pryd hefyd!'

Roedd y drws wedi agor a daeth dyn i mewn yn gwisgo trowsus du a chôt gynffon bigfain fel bwtler henffasiwn. Roedd hwn mor dal a thenau ag yr oedd ei feistr yn fach ac yn grwn, mop o wallt coch uwchben wyneb oedd mor welw fel ei fod bron mor wyn â phapur. O bell edrychai fel pe bai'n gwenu, ond wrth iddo ddod yn nes tynnodd Alecs anadl siarp. Roedd gan y dyn ddwy graith erchyll, un bob ochr i'w geg, yn cyrraedd yr holl ffordd at ei glustiau. Gallech feddwl bod rhywun wedi ceisio torri ei wyneb yn ddau. Roedd y creithiau o liw piws golau ffiaidd. Lle'r oedd ei fochau wedi cael eu pwytho rywdro roedd creithiau llai o faint, llai amlwg.

'Mr Gwên yw hwn,' meddai Sayle. 'Newidiodd ei enw ar ôl ei ddamwen.'

'Damwain?' Roedd Alecs yn ei chael yn anodd peidio syllu ar yr anafiadau dychrynllyd.

'Mewn syrcas roedd Mr Gwên yn arfer gweitho. Act towlu cyllyll o'dd hi. Ar gyfer yr uchafbwynt bydde fe'n dala cyllell o'dd yn troelli tuag ato rhwng ei ddannedd, ond yna un nosweth fe ddaeth ei fam oedrannus i weld y siew. Fe gododd hi 'i llaw arno fe o'r rhes flaen ac fe a'th ei amseru fe'n rhacs. Mae e wedi gwitho i fi er dwsin o flynydde nawr, ac er nad yw e'n bert iawn, mae e'n deyrngar ac yn effeithiol. Paid trial siarad 'da fe, gyda llaw. 'Sdim tafod 'da fe.'

'Iiiiyrch!' meddai Mr Gwên.

'Braf cwrdd â chi,' mwmiodd Alecs.

'Cer ag e i'r stafell las,' gorchmynnodd Sayle.

Trodd at Alecs. 'Rwyt ti'n ffodus fod un o'n stafelloedd gore ni ar gael. Roedd gyda ni fachan diogelwch yn sefyll yno, ond gadawodd e ni'n eitha sydyn.'

'O? Pam, felly?' gofynnodd Alecs yn ddi-daro.

"Sdim syniad 'da fi. Un funed o'dd e 'ma, a'r funed nesa roedd e wedi mynd.' Gwenodd Sayle eto. 'Gobeitho na wnei di mo'r un peth, Alecs.'

'Iaw … yrch!' Amneidiodd Mr Gwên tua'r drws, a chan adael Herod Sayle yn sefyll o flaen ei garcharor anferth, aeth Alecs allan o'r stafell.

Cafodd ei arwain ar hyd coridor lle'r oedd rhagor o weithiau celf, i fyny set o risiau ac yna ar hyd coridor lle'r oedd drysau pren trwchus, a siandelirau. Dyfalodd Alecs fod y prif dŷ'n cael ei ddefnyddio i groesawu pobl. Mae'n rhaid mai yma'r oedd Sayle yn byw. Ond fe fyddai'r cyfrifiaduron yn cael eu cynhyrchu yn yr adeiladau modern roedd wedi'u gweld gyferbyn â'r llain lanio. Byddan nhw'n siŵr o fynd â fi yno fory, dyfalodd wrtho'i hun.

Roedd ei stafell yn y pen pellaf. Stafell fawr oedd hi, yn cynnwys gwely pedwar postyn a ffenest a edrychai allan ar y pistyll. Roedd hi wedi nosi, ac roedd y dŵr – wrth syrthio ddeg metr drwy'r aer dros gerflun hanner-noeth a edrychai'n debyg iawn i Herod Sayle – yn cael ei oleuo'n iasol gan ddeuddeg o oleuadau cudd. Nesaf at y ffenest roedd bwrdd ag arno swper wedi'i osod allan iddo: cig oer, caws, salad. Roedd ei fag yn gorwedd ar y gwely.

Aeth draw ato – bag chwaraeon *Nike* – a'i archwilio. Wrth iddo gau'r bag ar ôl ei bacio, roedd Alecs wedi gosod tri blewyn o'i wallt yn y zip, gan eu dal yn y dannedd metel. Doedden nhw ddim yno bellach. Agorodd Alecs y bag a'i chwilio. Roedd pob dim yn union fel yr oedd wedi iddo bacio, ond roedd yn sicr bod y bag chwaraeon wedi cael ei archwilio'n fedrus ac yn drwyadl.

Estynnodd y Game Boy Color, rhoi'r gertrisen Nhyfeloedd Cyflymder i mewn a phwyso'r botwm START dair gwaith. Ar unwaith goleuodd y sgrin â phetryal gwyrdd, yr un siâp â'r stafell. Cododd y Game Boy yn uwch a'i droi o'i gwmpas, gan ddilyn llinell y waliau. Yn sydyn ymddangosodd dotyn coch yn fflachio ar y sgrin. Cerddodd Alecs ymlaen, gan ddal y Game Boy o'i flaen. Fflachiodd y dotyn yn gyflymach, yn fwy llachar. Roedd wedi dod at ddarlun yn hongian wrth y stafell ymolchi – sgriblad o liwiau a allai'n hawdd fod yn waith gan Picasso, meddyliodd. Rhoddodd y Game Boy i lawr a chodi'r llun yn ofalus oddi ar y wal. Roedd y bỳg wedi'i dapio i'r cefn, disg du tua maint darn deg ceiniog. Edrychodd Alecs arno am funud, yn dyfalu pam ei fod yno. Diogelwch? Neu oedd Sayle yn gymaint o ffrîc rheoli fel bod yn rhaid iddo wybod beth oedd ei westeion yn ei wneud bob munud o'r dydd a'r nos?

Gosododd Alecs y darlun yn ôl. Dim ond un bỳg oedd yn y stafell. Roedd y stafell ymolchi'n lân.

Bwytodd ei swper, cymerodd gawod a'i wneud ei hun yn barod am y gwely. Wrth fynd heibio'r ffenest sylwodd ar ryw brysurdeb yn y gerddi, yn ymyl y pistyll. Roedd goleuadau'n disgleirio o'r adeiladau modern. Roedd tri dyn, wedi'u gwisgo mewn oferôls gwyn, yn gyrru tua'r tŷ mewn Jeep to-agored. Cerddodd dau ddyn arall heibio. Gwarchodwyr diogelwch oedd rhain, yn gwisgo'r un lifrai â'r dyn ar y giât. Roedd y ddau'n cario drylliau peiriant hanner-awtomatig. Nid byddin breifat yn unig, ond un wedi ei harfogi'n dda.

Aeth Alecs i'r gwely. Y person diwethaf i gysgu yma oedd ei ewythr, Ian Rider. Tybed oedd o wedi gweld rhywbeth, wrth edrych allan drwy'r ffenest? Oedd o wedi clywed rhywbeth? Beth allai fod wedi digwydd fel bod yn rhaid iddo farw?

Bu cwsg yn hir cyn cyrraedd gwely'r dyn marw.

CHWILIO AM DRWBL

Gwelodd Alecs o y funud yr agorodd ei lygaid. Fe fyddai wedi bod yn amlwg i unrhyw un oedd wedi cysgu yn y gwely, ond wrth gwrs doedd neb wedi cysgu yno er pan gafodd Ian Rider ei ladd. Triongl gwyn oedd o, wedi ei wthio i blyg yn y canopi uwchben y gwely pedwar postyn. Byddai'n rhaid i chi fod yn gorwedd ar wastad eich cefn i'w weld – fel roedd Alecs yn awr.

Roedd allan o'i gyrraedd. Roedd yn rhaid iddo osod cadair ar ben y matres ac yna sefyll ar y gadair i'w estyn. Yn simsanu, bron â syrthio, llwyddodd o'r diwedd i'w ddal rhwng ei fysedd a'i dynnu allan.

Mewn gwirionedd, sgwâr o bapur wedi'i blygu ddwywaith oedd o. Roedd rhywun wedi tynnu llun arno, cynllun od, a rhywbeth a edrychai fel rhif cyfeirnod oddi tano.

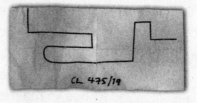

Ychydig oedd ar y papur, ond roedd Alecs yn adnabod llawysgrifen Ian Rider. Tybed beth oedd ei ystyr? Gwisgodd amdano'n gyflym, aeth draw at y bwrdd ac estyn darn o bapur glân. Yn frysiog, sgrifennodd neges fer mewn priflythrennau.

CAEL HYD I HWN YN STAFELL IAN RIDER. FEDRWCH CHI WNEUD SYNNWYR OHONO?

Daeth o hyd i'w Game Boy, rhoi'r getrisen Nemesis i mewn ynddo, ei droi ymlaen a rhedeg y sgrin dros y ddwy dudalen o bapur, gan sganio'i neges ei hun yn gyntaf, ac yna'r cynllun. Ar unwaith, fe wyddai, byddai peiriant yn clicio 'mlaen yn swyddfa Mrs Jones yn Llundain a byddai copi o'r ddwy dudalen yn sgrolio allan o'r cefn. Efallai y byddai hi'n gallu datrys y pos. Wedi'r cwbl, roedd hi i fod yn gweithio i'r Gwasanaethau Cudd.

Diffoddodd Alecs y Game Boy, tynnu'r cefn a chuddio'r papur yn adran y batris. Mae'n rhaid bod y diagram yn bwysig. Roedd Ian Rider wedi'i guddio. Efallai ei fod wedi talu amdano â'i fywyd.

Daeth cnoc ar y drws. Aeth Alecs draw a'i agor. Safai Mr Gwên yno, yn dal i wisgo'i lifrai bwtler.

'Bore da,' meddai Alecs.

'Buyrch!' Amneidiodd Mr Gwên a dilynodd Alecs ef yn ôl i lawr y coridor ac allan o'r tŷ.

Teimlai'n falch o fod allan yn yr awyr iach, yn ddigon pell oddi wrth yr holl weithiau celf. Wrth iddyn nhw oedi o flaen y pistyll daeth sŵn rhuo sydyn; hedfanodd awyren nwyddau yn isel dros do'r tŷ a glanio ar y llain.

'Myng dychn hilln,' eglurodd Mr Gwên.

'Fel ro'n i'n meddwl,' meddai Alecs.

Cyrhaeddon nhw'r cyntaf o'r adeiladau modern a phwysodd Mr Gwên ei law yn erbyn plât gwydr ar ochr y drws. Daeth golau gwyrdd ymlaen wrth i'w olion bysedd gael eu darllen, a llithrodd y drws ar agor yn dawel.

Tu draw i'r drws roedd popeth yn wahanol. O gymharu â chelf a gwychder y prif dŷ, gallai Alecs fod wedi camu i'r ganrif nesaf. Coridorau hir, gwyn a lloriau metelaidd. Lampau halogen. Ias annaturiol system awyru. Byd arall.

Roedd dynes yn aros amdanynt. Dynes ddifrifol yr olwg, gydag ysgwyddau llydan, a'i gwallt melyn wedi'i droelli'n dorch dynn, dynn. Roedd ganddi wyneb rhyfedd o ddifynegiant, yr un siâp â lleuad lawn, sbectol ffrâm weiren a dim tamaid o golur ar wahân i rwbiad o finlliw melyn ar ei gwefusau. Gwisgai gôt wen â label enw ar y boced uchaf. Yr enw oedd: VOLE.

'Rhaid taw Felix wyt ti,' meddai. 'Neu Alecs yw'r enw nawr, rwy'n deall! Gad i mi fy

108

nghyflwyno fy hunan. Fi yw Fräulein Vole.'
Roedd ganddi acen Almaenig gref. 'Cei di fy
ngalw i'n Nadia.' Taflodd gip ar Mr Gwên. 'Fe af
i ag e o fan hyn.'

Nodiodd Mr Gwên a gadael yr adeilad.

'Ffordd hyn.' Dechreuodd Vole gerdded. 'Mae
gennym ni bedwar bloc yma. Bloc A, lle ryden ni
nawr, yw Rheolaeth ac Adloniant. Bloc B yw
Datblygu Meddalwedd. Bloc C yw Ymchwil a
Storio. Ym Mloc Ch mae prif res gydosod
Tarandon.'

'Ble mae'r bloc brecwast?' gofynnodd Alecs.

'Dwyt ti ddim wedi bwyta? Fe drefna i
frechdan i ti. Mae Herr Sayle yn awyddus iawn i
ti ddechre'r profiad ar unwaith.'

Cerddai fel milwr – cefn syth; ei thraed, mewn
esgidiau lledr du, yn clecian ar y llawr. Dilynodd
Alecs hi drwy ddrws ac i stafell foel, sgwâr gyda
chadair a desg ynddi,. Yno, ar y ddesg, roedd y
Tarandon go iawn cyntaf iddo ei weld erioed.

Roedd yn beiriant hardd. Efallai mai'r iMac
oedd y cyfrifiadur cyntaf â theimlad gwirioneddol
o steil yn perthyn iddo, ond roedd y Tarandon
wedi ei adael ymhell ar ei ôl. Roedd yn ddu, ar
wahân i'r fellten wen i lawr un ochr iddo, a gallai'r
sgrin yn hawdd wedi bod yn bortwll allan i'r gofod.
Eisteddodd Alecs y tu ôl i'r ddesg a throi'r

cyfrifiadur ymlaen. Bŵtiodd y peiriant ar unwaith. Saethodd bollt o fellt wedi'i animeiddio ar draws y sgrin, ymddangosodd troelliad o gymylau, ac yna – mewn lliw coch tanbaid – ffurfiodd y llythrennau **AS**, logo Antur Sayle. Eiliadau'n ddiweddarach roedd y bwrdd gwaith i'w weld, ac eiconau ar gyfer Mathemateg, Gwyddoniaeth, Ffrangeg – pob pwnc – yn barod i'w defnyddio. Hyd yn oed yn yr eiliadau byr hynny, gallai Alecs deimlo cyflymder a nerth y cyfrifiadur. Ac roedd Herod Sayle yn mynd i roi un o'r rhain ym mhob ysgol yn y wlad! Roedd yn rhaid edmygu'r dyn. Roedd yn anrheg anhygoel.

'Rwyf am dy adael di yma,' meddai Fräulein Vole. 'Mae'n well i ti, credaf, i chwilio'r Tarandon dy hunan. Heno fe gei di ginio gyda Herr Sayle ac fe gei di ddweud wrtho sut rwyt ti'n teimlo.'

'Iawn – mi ddeuda i wrtho.'

'Trefnaf i ddanfon y frechdan i mewn atat. Ond mae'n rhaid i mi ofyn i ti i beidio gadael y stafell, os gweli di'n dda. Mae'n fater o ddiogelwch; rwyt ti'n deall, rwy'n siŵr.'

'Beth bynnag rydach chi'n 'i ddeud, Mrs Vole,' meddai Alecs.

Aeth y ddynes allan o'r stafell. Agorodd Alecs un o'r rhaglenni, ac am y tair awr nesaf fe ymgollodd yn llwyr ym meddalwedd blaengar y

Tarandon. Hyd yn oed ar ôl i'w frechdan gyrraedd, gadawodd iddi fod, yn sychu ar y plât. Alecs fyddai'r olaf i ddweud fod gwaith ysgol yn hwyl, ond roedd yn rhaid iddo gyfaddef bod y cyfrifiadur hwn yn ei wneud yn fywiog. Daeth y rhaglen hanes â brwydr Port Stanley yn fyw a chlipiau miwsig a fideo. Sut i echdynnu ocsigen o ddŵr? Dangosodd y rhaglen wyddoniaeth iddo sut yn union i wneud hynny. Llwyddodd y Tarandon i wneud geometreg, hyd yn oed, yn eitha hwyl, rhywbeth na wnaeth Mr Donovan lwyddo i'w wneud yn Brookland erioed.

Y tro nesaf yr edrychodd Alecs ar ei oriawr roedd yn un o'r gloch. Roedd wedi bod yn y stafell am dros bedair awr. Ymestynnodd, yna cododd ar ei draed. Roedd Nadia Vole wedi dweud wrtho am beidio â gadael, ond os oedd cyfrinachau i'w darganfod yn Antur Sayle, nid yn y fan hyn y byddai'n dod o hyd iddyn nhw. Cerddodd draw at y drws a synnu pan agorodd hwnnw wrth iddo nesáu ato. Aeth allan i'r coridor. Doedd neb yn y golwg. Amser symud.

Ardal Rheolaeth ac Adloniant oedd Bloc A. Aeth Alecs heibio i nifer o swyddfeydd, yna heibio i ffreutur diflas yr olwg â theils gwyn ar y waliau. Roedd tua pedwar deg o ddynion a merched yno, pob un mewn cot wen â bathodyn enw, yn eistedd

111

ac yn siarad yn fywiog dros eu cinio. Roedd wedi dewis amser da. Ddaeth neb i'w gyfarfod wrth iddo fynd yn ei flaen drwy rodfa Plexiglas i Floc B. Roedd sgrinau cyfrifiaduron ym mhobman, yn gloywi mewn swyddfeydd cyfyng ynghanol pentyrrau o bapurau ac allbrintiau. Datblygu meddalwedd. Drwodd i Floc C – Ymchwil – heibio i lyfrgell yn dal silffoedd diddiwedd o lyfrau a CD-ROMau. Cuddiodd Alecs y tu ôl i silff wrth i ddau dechnegydd gerdded heibio iddo yn siarad â'i gilydd. Roedd o yma heb ganiatâd, ar ei ben ei hun, yn busnesa heb unrhyw syniad o beth roedd yn chwilio amdano. Trwbl, mae'n debyg. Beth arall allai fod yno i'w ddarganfod?

Cerddodd yn dawel, yn hamddenol, i lawr y coridor, gan anelu am y bloc olaf. Clywodd furmur lleisiau'n dod yn nes, a chamodd yn sydyn i gilfach, gan wasgu'i hun i lawr yn ymyl pistyll dŵr yfed wrth i ddau ddyn a dynes gerdded heibio iddo, y tri mewn cotiau gwyn, yn dadlau am weinyddion Gwe. Uwchben, sylwodd ar gamera diogelwch yn troi tuag ato. Pum eiliad arall ac fe fyddai'n pwyntio'n syth ato, ond roedd yn rhaid iddo ddisgwyl nes bod y tri thechnegydd wedi mynd cyn rhedeg yn ei flaen o'r diwedd, un cam ar y blaen i'r lens ongl-lydan.

Oedd y camera wedi'i weld? Doedd dim modd

i Alecs wybod i sicrwydd. Ond gwyddai un peth: roedd ei amser yn brin. Efallai bod Nadia Vole wedi bod yn chwilio amdano'n barod. Gallai rhywun fod wedi mynd â chinio i'r stafell wag. Os oedd am ddod o hyd i unrhyw beth, byddai'n rhaid iddo wneud hynny'n fuan …

Dechreuodd gerdded ar hyd y coridor gwydr oedd yn cysylltu Blociau C ac Ch, ac yma o'r diwedd roedd rhywbeth gwahanol i'w weld. Roedd y coridor wedi ei rannu'n ddau, a grisiau metel yn arwain i lawr i beth oedd, mae'n rhaid, yn rhyw fath o seler. Ac er bod label ar bob adeilad a phob drws a welsai hyd yma, doedd dim enw o fath yn y byd ar y grisiau yma. Roedd y golau'n darfod tua hanner y ffordd i lawr, bron fel petai'r grisiau yn ceisio peidio tynnu sylw atynt eu hunain.

Sŵn traed ar fetel. Gwasgodd Alecs yn ôl, a'r eiliad nesaf daeth Mr Gwên i'r golwg, yn codi allan o'r llawr fel fampir ar ddiwrnod gwael. Wrth i'r haul daro'i wyneb gwyn, marwaidd, gwingodd ei greithiau a blinciodd Mr Gwên sawl tro cyn cerdded i mewn i Floc Ch.

Beth oedd o wedi bod yn ei wneud? I ble roedd y grisiau'n arwain? Brysiodd Alecs i lawr y grisiau. Roedd fel cerdded i mewn i gorffdŷ. Roedd y llif aer o'r system awyru mor gryf fel y gallai ei deimlo ar ei dalcen ac ar gledrau'i ddwylo, yn troi'i chwys yn iasoer.

Arhosodd ar waelod y grisiau. Roedd mewn coridor hir arall, yn ymestyn yn ôl o dan yr adeiladau, yn ôl i'r cyfeiriad y daethai ohono. Arweiniai'r coridor at un drws metel, ond roedd rhywbeth yn rhyfedd iawn yn ei gylch. Roedd y waliau heb eu gorffen; carreg o liw brown tywyll a gwythiennau o rywbeth a edrychai fel sinc neu ryw fetel arall. Roedd y llawr hefyd yn arw, a'r llwybr wedi'i oleuo gan fylbiau henffasiwn yn hongian ar wifrau. Roedd y cyfan yn ei atgoffa o rywbeth … rhywbeth yr oedd wedi'i weld yn ddiweddar iawn. Ond methodd yn lân â chofio beth oedd.

Rywsut roedd Alecs yn gwybod y byddai'i drws ym mhen draw'r coridor dan glo. Edrychai fel petai wedi bod dan glo erioed. Fel y grisiau, doedd dim label arno, ac mewn ffordd edrychai'r drws yn rhy fach i fod yn bwysig. Ond roedd Mr Gwên newydd ddod i fyny'r grisiau. Dim ond o un lle y gallai fod wedi dod, a'r ochr draw i'r drws oedd hwnnw. Rhaid felly fod y drws yn arwain i rywle!

Cyrhaeddodd ato a throi'r bwlyn. Gwrthododd symud. Pwysodd Alecs ei glust yn erbyn y metel a gwrando. Dim byd, heblaw … ai dychmygu roedd o? … rhyw fath o sŵn dirgrynu. Pwmp neu rywbeth tebyg. Byddai Alecs wedi rhoi unrhyw beth am gael gweld drwy'r metel – ac yn sydyn sylweddolodd y gallai wneud hynny. Roedd y Game Boy yn ei boced. Tynnodd y peiriant allan, rhoi'r getrisen Exocet i mewn, ei droi ymlaen, a'i ddal yn erbyn y drws.

Daeth y sgrin yn fyw; ffenest fach drwy'r drws metel. Roedd Alecs yn edrych i mewn i stafell fawr. Roedd rhywbeth uchel, o siâp casgen, yn ei chanol. Ac roedd pobl yno. Fel ysbrydion, neu farciau bach ar y sgrin, roeddent yn symud yn ôl ac ymlaen. Roedd rhai yn cario rhywbeth gwastad, siâp petryal. Hambwrdd o ryw fath? Ar un ochr roedd desg, meddyliodd, a phentwr o aparatws arni na allai ei weld yn glir. Pwysodd Alecs y botwm rheoli disgleirdeb, gan drio closio i mewn. Ond roedd y stafell yn rhy fawr. Roedd popeth yn rhy bell. Teimlodd yn ei boced ac estyn y clustffonau. Gan ddal y Game Boy yn erbyn y drws, pwysodd y weiren i mewn i'r soced a thynnu'r clustffonau dros ei ben. Os na fedrai weld, o leiaf efallai y gallai glywed – ac yn wir daeth y lleisiau drwodd, yn wan ac yn bell, ond roedd modd eu clywed drwy'r system uchelseinydd cryf oedd yn rhan o'r peiriant.

'... yn eu lle. Mae pedair awr ar hugain 'da ni.'

'Dydi o ddim yn ddigon.'

''Na'r cyfan sy 'da ni. Maen nhw'n dod i mewn heno. Am 0200.'

Methodd Alecs adnabod yr un o'r lleisiau. Wrth iddynt gael eu chwyddo gan y peiriant bach, roeddent yn swnio fel galwad ffôn o dramor ar linell wael iawn.

'… Gwên … goruchwylio'r trosglwyddo.'

'Dydi o'n dal ddim yn ddigon o amser.'

Ac yna roedden nhw wedi mynd. Ceisiodd Alecs wneud synnwyr o beth oedd wedi'i glywed. Roedd rhywbeth yn cael ei drosglwyddo. Dwy awr ar ôl hanner nos. Roedd Mr Gwên yn trefnu'r trosglwyddo.

Ond beth? Pam?

Roedd newydd ddiffodd y Game Boy a'i gadw'n ôl yn ei boced pan glywodd, tu ôl iddo, esgid yn gwichian; doedd o ddim ar ei ben ei hun. Trodd i edrych a chael ei hun yn wynebu Nadia Vole. Sylweddolodd Alecs ei bod hi wedi trio sleifio ato heb dynnu'i sylw. Roedd hi'n gwybod yn iawn ei fod o i lawr yna.

'Beth wyt ti'n ei wneud, Alecs?' gofynnodd. Roedd gwenwyn ym mêl ei llais.

'Dim byd,' meddai Alecs.

'Fe ofynnais i ti aros yn y stafell gyfrifiaduron.'

'Do. Ond ro'n i wedi bod yno drwy'r bore. Ro'n i angen seibiant.'

'Ac fe ddaethost ti i lawr i fan hyn?'

'Gweld y grisiau wnes i. Ro'n i'n meddwl

116

falla'u bod nhw'n arwain i'r toiled.'

Bu tawelwch hir. Tu ôl iddo roedd Alecs yn dal i allu clywed – neu deimlo – y sŵn dirgrynu o'r stafell gyfrinachol. Yna nodiodd y ddynes ei phen fel pe bai wedi penderfynu derbyn ei stori. 'Does dim byd i lawr yma,' meddai. 'Dyw'r drws yma'n arwain i unman heblaw i stafell y generadur. Os gweli di'n dda ... ' Gwnaeth ystum â'i llaw. 'Fe af â thi'n ôl i'r prif dŷ, ie? Ac yn nes ymlaen fe fydd yn rhaid i ti baratoi ar gyfer y cinio gyda Herr Sayle. Mae e'n dymuno gwybod beth yw dy argraff gyntaf o'r Tarandon.'

Cerddodd Alecs heibio iddi ac yn ôl tua'r grisiau. Roedd yn sicr o ddau beth. Yr un cyntaf oedd bod Nadia Vole yn dweud celwydd. Nid stafell generadur oedd hon. Roedd hi'n cuddio rhywbeth. A doedd hi ddim yn ei gredu, chwaith. Roedd yn rhaid bod un o'r camerâu wedi ei weld a'i bod hi wedi cael ei hanfon i ddod o hyd iddo. Felly roedd hi'n gwybod ei fod yn dweud celwydd wrthi.

Doedd o ddim yn ddechrau da.

Cyrhaeddodd Alecs y grisiau a dringo i fyny i'r golau, gan deimlo llygaid y ddynes, fel cyllyll, yn trywanu ei gefn.

YMWELWYR NOS

Roedd Herod Sayle yn chwarae snwcer pan gafodd Alecs ei ddanfon yn ôl i'r stafell lle roedd y slefren fôr. Roedd yn anodd dyfalu o ble'n union roedd y bwrdd snwcer pren trwm wedi dod, ac roedd Alecs yn methu peidio meddwl bod y dyn bach yn edrych yn eitha doniol, bron ar goll ym mhen draw brethyn gwyrdd y bwrdd. Roedd Mr Gwên wrth ei ymyl, yn cario stôl droed i Sayle sefyll arni ar gyfer pob ergyd. Fel arall, prin y byddai wedi gallu cyrraedd dros yr ymyl.

'A ... nosweth dda, Felix. Neu, wrth gwrs, Alecs, ddylsen i weud!' meddai Sayle. 'Wyt ti'n whare snwcer?'

'Weithia.'

'Shwd hoffet ti whare yn f'erbyn i? Dim ond dou goch sy'n weddill – a'r lliwie wedi 'nny. Ond fi'n folon mentro na lwyddi di i sgorio yr un pwynt.'

'Faint?'

'Ha ha!' chwerthodd Sayle. 'Beth petawn i'n beto degpunt y pwynt?'

'Cymaint â hynny?' Edrychodd Alecs yn syn.

'I ddyn fel fi, dyw degpunt yn ddim byd. Dim yw dim! Shgwla, fe fydden i'n hollol folon beto canpunt y pwynt!'

'Pam na wnewch chi 'ta?' Er bod y geiriau wedi eu dweud yn dawel roedd yr her y tu ôl iddynt yn blaen. Edrychodd Sayle yn feddylgar ar Alecs. 'O'r gore,' meddai. 'Canpunt y pwynt. Pam ddim? Fi'n hoffi gambl. Roedd 'y nhad yn fachan gamblo.'

'A finna'n meddwl mai barbwr oedd o.'

'Pwy wedodd 'na wrthot ti?'

Rhegodd Alecs dan ei wynt. Pam nad oedd o byth yn ddigon gofalus yng nghwmni'r dyn yma? 'Ei ddarllen o wnes i,' meddai. 'Mi gafodd fy nhad ryw stwff i mi ei ddarllen amdanoch chi pan enillais i'r gystadleuaeth.'

'Canpunt y pwynt, 'te. Ond paid disgwl gwneud dy ffortiwn.' Trawodd Sayle y bêl wen, gan yrru un o'r rhai coch yn syth i'r boced ganol. Nofiodd y slefren fôr heibio fel petai'n gwylio'r gêm o'r tanc. Cododd Mr Gwên y stôl droed a'i chario o gwmpas y bwrdd. Chwarddodd Sayle yn gynnil a dilyn y bwtler, gan fesur yr ergyd nesaf â'i lygad yn barod, pêl ddu weddol anodd i'r gornel.

'Felly beth mae dy dad yn wneud?'

'Pensaer ydi o,' meddai Alecs.

'Ife wir? Beth ma' fe wedi'i gynllunio?' Gofynnodd Sayle y cwestiwn yn ddigon di-daro, ond meddyliodd Alecs tybed a oedd yn cael ei brofi.

'Mae o wedi bod yn gweithio ar swyddfa yn Soho,' meddai Alecs. 'Cyn hynny mi gynlluniodd o oriel gelf yn Aberdeen.'

'Ie.' Dringodd Sayle i ben y stôl droed ac anelu. Methodd y bêl ddu y boced gornel o lai na milimetr, gan droelli'n ôl i'r canol. Gwgodd Sayle. 'Dy *bledi* bai di o'dd hynna,' meddai'n flin wrth Mr Gwên.

'Owrch?'

'Ro'dd dy gysgod di ar y ford. 'Sdim ots, 'sdim ots!' Trodd at Alecs. 'Ti mas o lwc. Eiff dim un o'r peli mewn. Wnoi di ddim arian y tro hwn.'

Estynnodd Alecs giw oddi ar y rhestl a thaflu golwg ar y bwrdd. Roedd Sayle yn dweud y gwir. Roedd y goch olaf yn rhy agos i'r glustog. Ond mewn gêm o snwcer mae ffyrdd eraill o ennill pwyntiau, fel y gwyddai Alecs yn iawn. Roedd yn un o lawer o gêmau y byddai'n arfer eu chwarae gydag Ian Rider. Roedd y ddau hyd yn oed wedi bod yn aelodau o glwb yn Chelsea, ac roedd Alecs wedi chwarae yn y garfan iau. Nid oedd wedi sôn am hyn wrth Sayle. Anelodd yn ofalus am y goch, a tharo. Perffaith.

'Mae hi'n bell mas!' Roedd Sayle yn ôl wrth y bwrdd cyn i'r peli orffen rowlio. Ond roedd wedi siarad yn rhy fuan. Syllodd wrth i'r bêl wen daro'r glustog a rhowlio tu ôl i'r binc. Roedd wedi cael ei snwcro. Am tua ugain eiliad mesurodd yr onglau, yn anadlu trwy'i drwyn. 'Ti 'di cael tamed o *bledi* lwc!' meddai. 'Mae'n edrych yn debyg dy fod ti wedi'n snwcro fi'n ddamweiniol. Nawr 'te, dewch weld ... '

Canolbwyntiodd, yna trawodd y bêl wen, gan geisio'i throi o amgylch y binc. Ond unwaith eto roedd wedi methu o tua milimetr. Roedd y glec i'w chlywed wrth iddi gyffwrdd â'r binc.

'Camergyd,' meddai Alecs. 'Chwe phwynt i mi. Ydi hynna'n golygu 'mod i'n cael chwe chan punt?'

'Beth?'

'Mae'r camergyd yn werth chwe phwynt i mi. Yn ôl can punt y pwynt –'

'Ie, ie, ie!' Roedd poer gwyn ar wefusau Sayle. Syllai ar y bwrdd fel petai'n methu credu beth oedd wedi digwydd.

Roedd ei ergyd wedi dod â'r bêl goch i'r golwg. Roedd yn ergyd hawdd i'r gornel uchaf a chymerodd Alecs hi heb oedi. 'A chant arall yn gwneud saith gant,' meddai. Symudodd i lawr y bwrdd, gan ysgubo heibio i Mr Gwên. Mesurodd yr onglau'n gyflym â'i lygad. Ie ...

Cafodd gyffyrddiad perffaith ar y ddu, gan ei

121

gyrru i'r gornel, a'r wen yn troelli'n ôl i gael ongl dda ar y felyn. Mil a phedwar cant o bunnau a dau gant arall wrth iddo bocedu'r felyn yn syth wedyn. Y cyfan y gallai Sayle ei wneud oedd syllu heb fedru credu ei lygaid wrth i Alecs bocedu'r werdd, y frown, y las a'r binc yn eu trefn ac yna, yr holl ffordd i lawr y bwrdd, y ddu.

'Dwi'n gwneud hynna'n bedair mil a chant o bunnau,' meddai Alecs. Rhoddodd y ciw i lawr. 'Diolch yn fawr iawn i chi.'

Roedd wyneb Sayle wedi troi'r un lliw â'r bêl olaf. 'Peder mil … Fydden i ddim wedi gamblo tasen i'n gwbod dy fod ti mor *bledi d*da â hynna,' meddai. Aeth at y wal a phwyso botwm. Llithrodd darn o'r llawr yn ôl a diflannodd y bwrdd snwcer i mewn iddo, yn cael ei gario i lawr gan lifft hydrolig. Pan lithrodd y llawr yn ôl doedd dim arwydd i'r bwrdd fod yno erioed. Tric clyfar. Tegan dyn a chanddo arian i'w losgi.

Ond erbyn hyn roedd awydd Sayle i chwarae ar ben. Taflodd ei giw snwcer draw at Mr Gwên, gan ei daflu bron fel picell. Saethodd llaw y bwtler allan a'i ddal. 'Gadewch i ni fwyta,' meddai Sayle.

*   *   *

Eisteddodd y ddau un bob pen i fwrdd gwydr hir yn y stafell nesaf wrth i Mr Gwên weini eog wedi ei fygu, wedyn rhyw fath o gawl. Yfodd Alecs ddŵr. Cymerodd Sayle, oedd wedi codi ei galon unwaith eto, wydraid o win coch arbennig.

'Fe dreuliest ti dipyn o amser 'da'r Tarandon heddi?' gofynnodd.

'Do.'

'A … ?'

'Mae o'n wych,' meddai Alecs, yn gwbl ddidwyll. Roedd yn ei chael yn anodd credu bod y dyn chwerthinllyd yma wedi gallu creu rhywbeth mor raenus a chryf.

'Felly pa raglenni ddefnyddiest ti?'

'Hanes. Gwyddoniaeth. Mathemateg. Mae'n anodd credu'r peth, ond mi wnes i eu mwynhau nhw go iawn!'

'Oes 'da ti feirniadeth o gwbl?'

Meddyliodd Alecs am foment. 'Mi synnis i nad oedd ganddo fo gyflymu 3D.'

'Ddim ar gyfer gême mae'r Tarandon wedi'i fwriadu.'

'Wnaethoch chi feddwl am benset a meicroffon integredig?'

'Na.' Nodiodd Sayle. 'Mae'n syniad da. Trueni dy fod ti wedi dod 'ma am gyn lleied o amser, Alecs. Fory fe fydd yn rhaid i ni dy gael di ar y

Rhyngrwyd. Mae'r Tarandonnau i gyd wedi'u cysylltu â phrif rwydwaith. O fan hyn mae hwnnw'n cael ei reoli. Mae'n golygu bod 'da nhw gysylltiad peder awr ar hugen.'

'Mae hynna'n cŵl.'

'Mae e'n fwy na cŵl.' Roedd llygaid Sayle ymhell i ffwrdd, yr irisau llwyd yn fach, yn dawnsio. 'Fory ry'n ni'n dachre hala'r cyfrifiaduron bant,' meddai. 'Fe ân' nhw 'da awyren, lori a bad. Un diwrnod yn unig gymeran nhw i gyrredd pob rhan o'r wlad. A'r diwrnod wedyn, am hanner dydd yn gwmws, fe fydd y Prif Weinidog ei hunan yn rhoi'r anrhydedd i fi o bwyso'r botwm START fydd yn dod â phob un o'r Tarandonnau ar-lein. Y funed honno fe fydd yr holl ysgolion yn cael eu cysylltu. Dychmyga'r peth, Alecs! Miloedd o blant ysgol – cannoedd o filoedd – yn eistedd o flaen y sgriniau, yn sydyn gyda'i gilydd! Gogledd, de, dwyrain a gorllewin. Un ysgol. Un teulu. Ac wedyn fe fyddan nhw'n f'adnabod i am yr hyn odw i!'

Cododd ei wydryn a'i wagio. 'Shwd ma'r afr?' gofynnodd.

'Mae'n ddrwg gen i?'

'Y cawl. Cig gafr yw e. Rysáit fy mam.'

'Roedd hi'n ddynas arbennig, mae'n rhaid.'

Estynnodd Herod Sayle ei wydryn a llanwodd

Mr Gwên o. Roedd Sayle yn syllu'n chwilfrydig ar Alecs. 'Ti'n gwbod,' meddai. 'Mae teimlad rhyfedd 'da fi dy fod ti a finne wedi cwrdd o'r blaen.'

'Dwi ddim yn meddwl ein bod ni –'

'Do. Mae dy wyneb yn gyfarwydd i mi. Mr Gwên? Beth wyt ti'n feddwl?'

Roedd y bwtler yn sefyll ar un ochr â'r gwin yn ei law. Trodd ei ben marw, gwyn i edrych ar Alecs. 'Iiich Raach!' meddai.

'Ie, wrth gwrs. Rwyt ti'n iawn!'

'Iiich Raach?' gofynnodd Alecs.

'Ian Rider. Y bachan diogelwch y sonies i amdano. Ti'n dishgwl yn debyg iawn iddo fe. Tipyn o gyd-ddigwyddiad, smo' ti'n credu?'

'Wn i ddim. Wnes i rioed ei gyfarfod o.' Roedd Alecs yn teimlo'r peryg yn dod yn nes. 'Mi ddudsoch chi ei fod o wedi gadael yn sydyn.'

'Do. Roedd e wedi cael ei hala yma i gadw llygad ar bethe, ond os ti'n gofyn i fi doedd e ddim *bledi* iws. Treulio hanner ei amser yn y pentre. Yn y porthladd, swyddfa'r post, y llyfrgell. Pan nad oedd e'n whilmentan ambiti'r lle 'ma, hynny yw. Wrth gwrs, 'na rywbeth arall sy 'da chi'n gyffredin. Fi'n deall bod Fräulein Vole wedi dod o hyd i ti heddi ...' Roedd canhwyllau llygaid Sayle yn enfawr, yn ceisio closio at Alecs. 'Doedd 'da ti ddim caniatâd i ti fod yno.'

'Mi es i ar goll braidd.' Cododd Alecs ei ysgwyddau, yn ceisio gwneud i'r peth ymddangos yn ddibwys.

'Wel, gobeitho nad ei di ddim i grwydro heno 'to. Mae diogelwch yn llym iawn ar y foment, ac fel y sylwest ti falle, mae fy nynon i i gyd yn cario arfe.'

'Do'n i ddim yn meddwl bod hynny'n gyfreithlon ym Mhrydain.'

'Mae trwydded arbennig 'da ni. Ta p'un, Alecs, fy nghyngor fydde i ti fynd yn syth i dy stafell ar ôl cino. A setyll yno. Fydden i'n torri 'nghalon petait ti'n cael dy saethu'n farw'n ddamweiniol yn y tywyllwch. Er fe fydde hynny, wrth gwrs, yn arbed peder mil o bunne i mi.'

'A deud y gwir, dwi'n meddwl bod chi wedi anghofio am y siec.'

'Fe gei di hi fory. Falle cewn ni gino 'da'n gilydd. Fe fydd Mr Gwên yn gweini un o ryseitie fy mam-gu.'

'Mwy o gig gafr?'

'Ci.'

'Mae'n amlwg bod eich teulu chi'n caru anifeiliaid.'

'Dim ond y rhai allet ti eu bwyta.' Gwenodd

Sayle. 'A nawr mae'n rhaid i mi weud nos da.'

Am hanner awr wedi un y bore, agorodd Alecs ei lygaid ac roedd yn effro ymhen eiliad.

Cododd o'r gwely'n sionc a gwisgo'i ddillad tywyllaf yn gyflym, yna aeth allan o'r stafell. Roedd yn synnu braidd nad oedd y drws wedi'i gloi, ac nad oedd neb yn gwylio'r coridorau. Ond wedi'r cyfan, tŷ preifat Sayle oedd hwn, ac fe fyddai unrhyw system ddiogelwch wedi cael ei chynllunio i rwystro pobl rhag dod i mewn, ac nid rhag mynd allan.

Roedd Sayle wedi ei rybuddio i beidio â gadael y tŷ. Ond roedd y lleisiau y tu ôl i'r drws metel wedi sôn am rywbeth oedd i gyrraedd am ddau o'r gloch y bore. Roedd yn rhaid i Alecs gael gwybod beth oedd hynny.

Gwnaeth ei ffordd i'r gegin ac aeth ar flaenau'i draed heibio i gownteri hir, gloyw, lliw arian ac oergell anferth Americanaidd. 'Paid â deffro ci sy'n cysgu,' meddyliodd, gan gofio beth oedd i fod i gael ei weini i ginio y diwrnod canlynol. Roedd drws ochr yno, a'r allwedd, wrth lwc, yn y clo. Trodd Alecs yr allwedd a'i ollwng ei hun allan. Penderfynodd y byddai'n well iddo gloi'r drws a chadw'r allwedd, rhag ofn. O leiaf wedyn byddai ganddo ffordd ddiogel o fynd yn ôl i mewn.

Roedd yn noson dyner, lwydaidd, a hanner lleuad yn gwneud siâp D perffaith yn yr awyr. D am beth, tybed, meddyliodd Alecs. Damwain? Darganfod? Dinistr, efallai? Amser a ddengys. Cymerodd ddau gam ymlaen, yna rhewodd wrth i chwilolau rowlio heibio iddo, dim ond rai centimetrau i ffwrdd, yn dod o gyfeiriad twr nad oedd wedi ei weld, hyd yn oed. Yr un pryd clywodd leisiau, a cherddodd dau warchodwr yn araf ar draws yr ardd, yn gwylio cefn y tŷ. Roedd arfau gan y ddau, a chofiodd Alecs beth oedd Sayle wedi ei ddweud. Byddai marwolaeth ddamweiniol drwy saethu yn arbed pedair mil o bunnau iddo. A chan fod y Tarandon mor bwysig, faint o bwys fyddai gan neb pa mor ddamweiniol fyddai'r saethu?

Arhosodd Alecs nes i'r dynion fynd, wedyn aeth i'r cyfeiriad arall, yn rhedeg ar hyd ochr y tŷ, yn plygu o dan y ffenestri. Cyrhaeddodd y gornel ac edrych heibio. Yn y pellter roedd golau ar y llain lanio ac roedd pobl – rhagor o wylwyr a thechnegwyr – ymhobman. Gallai adnabod un dyn oedd yn cerdded heibio'r pistyll tuag at lori oedd yn aros. Roedd yn dal ac yn heglog, ei gorff yn silwét yn erbyn y golau, yn amlinelliad du. Ond byddai Alecs wedi adnabod

128

Mr Gwên yn unrhyw le. *Maen nhw'n dod mewn heno. Am 0200.* Ymwelwyr nos. Ac roedd Mr Gwên ar ei ffordd i'w cyfarfod nhw.

Roedd y bwtler bron â chyrraedd y lori, ac roedd Alecs yn gwybod petai'n oedi mwy y byddai'n rhy hwyr. Heb boeni bellach am aros ynghudd, gadawodd gysgod y tŷ a rhedeg allan i'r cysgodion, gan geisio cadw'n isel a chan obeithio y byddai ei ddillad tywyll yn ei guddio. Roedd o fewn hanner can metr i'r lori pan stopiodd Mr Gwên yn sydyn a throi, fel petai wedi synhwyro bod rhywun yno. Doedd dim lle gan Alecs i guddio. Fe wnaeth yr unig beth posib, a'i daflu'i hun i'r llawr gan gladdu'i wyneb yn y glaswellt. Cyfrodd yn araf i bump, yna edrych i fyny. Roedd Mr Gwên yn troi'n ôl eto. Roedd person arall wedi ymddangos … Nadia Vole. Hi, mae'n debyg, fyddai'n gyrru'r lori. Mwmiodd rywbeth wrth ddringo i'r sedd flaen. Ebychodd Mr Gwên a nodio'i ben.

Erbyn i Mr Gwên gerdded o amgylch y lori at y drws arall, roedd Alecs eisoes ar ei draed ac yn rhedeg. Cyrhaeddodd gefn y lori yr eiliad roedd yn dechrau symud. Roedd yn debyg i'r tryciau a welsai yn y gwersyll SAS. Fe allai fod o hen stoc y fyddin. Roedd y cefn yn uchel, siâp sgwâr, a tharpolin drosto. Straffaglodd Alecs i fyny ar y tinbren oedd yn symud erbyn hyn a'i daflu'i hun i mewn, a hynny mewn union bryd. Fel roedd yn taro'r llawr, cychwynnodd car tu ôl iddo, ei oleuadau'n llifo dros gefn y lori. Petai wedi aros dim ond am eiliad neu ddwy yn hirach, byddai rhywun wedi ei weld.

Confoi o bum cerbyd oedd yn gadael Antur Sayle. Y cerbyd olaf ond un oedd y lori roedd Alecs ynddi. Yn ogystal â Mr Gwên a Nadia Vole, roedd o leiaf ddeuddeg gwarchodwr mewn lifrai ar y daith. Ond taith i ble? Feiddiai Alecs ddim edrych allan drwy'r cefn, nid â char yn union y tu ôl iddo. Teimlodd y lori'n arafu wrth iddynt gyrraedd y brif giât ac yna allan â nhw ar y ffordd fawr, yn gyrru'n gyflym i fyny'r allt, i ffwrdd oddi wrth y pentref.

Teimlodd Alecs y siwrnai heb ei gweld. Cafodd ei daflu ar draws llawr metel y lori wrth iddynt ruthro heibio i gorneli siarp, a sylweddolodd eu bod wedi gadael y briffordd pan ddechreuodd gael ei fownsio i fyny ac i lawr. Roedd y lori'n symud yn arafach. Teimlai Alecs eu bod yn mynd i lawr allt, ar hyd lôn fach arw. A bellach gallai glywed rhywbeth oedd hyd yn oed uwch na sŵn yr injan. Tonnau. Roedden nhw wedi cyrraedd glan y môr.

Stopiodd y lori. Daeth sŵn agor a chlepian

drysau ceir, crensian traed ar gerrig, lleisiau'n siarad yn isel. Cyrcydodd Alecs, yn ofni i un o'r gwarchodwyr daflu'r tarpolin yn ôl a dod o hyd iddo, ond pellhaodd y lleisiau ac unwaith eto roedd ar ei ben ei hun. Llithrodd allan drwy'r cefn yn ofalus. Roedd yn iawn. Roedd y confoi wedi parcio ar draeth unig. Wrth droi ei ben gallai weld llwybr yn arwain i lawr o'r ffordd a droellai i fyny dros y clogwyni. Roedd Mr Gwên a'r lleill wedi casglu wrth ymyl hen gei cerrig oedd yn ymestyn allan i'r dŵr du. Roedd yn cario torts. Gwelodd Alecs ef yn ei droi mewn hanner cylch.

Yn fwy chwilfrydig bob munud, sleifiodd Alecs ymlaen a dod o hyd i guddfan y tu ôl i bentwr o greigiau. Yn ôl pob golwg roedden nhw'n aros am gwch. Edrychodd ar ei oriawr. Roedd yn union ddau o'r gloch y bore. Bron fod arno eisio chwerthin. Dim ond rhoi drylliau carreg fflint a cheffylau iddyn nhw ac fe allen fod wedi dod yn syth allan o lyfr i blant. Smyglo ar draethau Cernyw. Ai dyna oedd pwrpas hyn i gyd? Cocên neu mariwana'n dod i mewn o'r Cyfandir? Am ba reswm arall y bydden nhw yma yng nghanol nos?

Cafodd y cwestiwn ei ateb o fewn ychydig eiliadau. Syllodd Alecs, bron yn methu â chredu'r hyn roedd yn ei weld.

Llong danfor. Daeth i'r golwg o'r môr yr un mor gyflym a'r un mor anghredadwy ag unrhyw rith enfawr ar lwyfan theatr. Un foment doedd dim byd yno, ac yna roedd hi yno o'i flaen, yn hollti llwybr trwy'r dŵr tua'r cei, ei pheiriant yn gwneud dim sŵn, y dŵr yn tasgu oddi ar y metel arian ac yn corddi'n wyn y tu ôl iddo. Doedd dim marciau i'w gweld ar y llong danfor, ond meddyliodd Alecs ei fod yn adnabod siâp yr adain blymio oedd yn torri'n syth ar draws drwy'r tŵr llywio, a'r llyw cynffon siarc yn y cefn. 404 SSN Dosbarth Han Tsieineaidd? Gyriant niwclear. Wedi'i harfogi, hefyd, ag arfau niwclear.

Ond beth oedd hi'n ei wneud yma, ger arfordir Cernyw? Beth yn y byd oedd yn digwydd?

Agorodd y tŵr a dringodd dyn allan ohono, yn ymestyn ei gorff yn aer oer y bore. Hyd yn oed heb olau'r hanner lleuad, byddai Alecs wedi adnabod y corff dawnsiwr main, a'r gwallt cwta; Yassen Gregorovitch – y dyn a welsai yn y ffotograff dim ond ychydig ddyddiau'n ôl. Y llofrudd cytundeb. Y dyn oedd wedi llofruddio Ian Rider. Roedd wedi ei wisgo mewn oferôl llwyd. Roedd yn gwenu.

Roeddent yn dweud bod Yassen

Gregorovitch wedi cyfarfod Sayle yng Nghiwba. Bellach dyma fo yng Nghernyw. Felly *roedd* y ddau'n gweithio gyda'i gilydd. Ond pam? Pam byddai prosiect y Tarandon angen dyn fel fo?

Cerddodd Nadia Vole i ben y cei, a dringodd Yassen i lawr ati. Buont yn siarad am rai munudau, ond hyd yn oed os oedd eu sgwrs yn Saesneg, roedd yn amhosib i neb glywed eu geiriau. Yn y cyfamser roedd y gwarchodwyr o Antur Sayle wedi ffurfio cadwyn yn ymestyn yn ôl bron i'r fan lle roedd y cerbydau wedi eu parcio. Rhoddodd Yassen orchymyn – ac wrth i Alecs wylio o'r tu ôl i'r creigiau, daeth bocs mawr metelaidd, lliw arian, a sêl-wactod arno, i'r golwg yn nhop twr y llong danfor, yn cael ei ddal gan rywun o'r golwg. Cafodd ei estyn i lawr gan Yassen ei hun i'r gwarchodwr cyntaf, ac yna ymlaen ar hyd y gadwyn. Dilynodd tua deugain o focsys eraill, un ar ôl y llall. Cymerodd ychydig llai nag awr i ddadlwytho'r llong danfor. Roedd y dynion yn trin y bocsys yn ofalus. Doedd neb isio torri beth bynnag oedd y tu mewn iddyn nhw.

Erbyn tri o'r gloch roedd y gwaith bron ar ben. Roedd y bocsys bellach yn cael eu cadw yng nghefn y lori y cyrhaeddodd Alecs ynddi. A dyna pryd y digwyddodd.

Gollyngodd un o'r dynion oedd yn sefyll ar y cei un o'r bocsys. Llwyddodd i'w ddal ar yr eiliad olaf, ond hyd yn oed wedyn fe glepiodd yn drwm ar y llawr carreg. Stopiodd pawb. Yn syth. Roedd fel petai rhywun wedi troi swits, ac roedd Alecs bron yn gallu teimlo'r ofn noeth yn yr aer.

Yassen oedd y cyntaf i ddod ato'i hun. Gwibiodd ymlaen ar hyd y cei, yn symud fel cath, ei draed yn gwneud 'run smic. Cyrhaeddodd y bocs a rhedeg ei ddwylo drosto, yn profi'r sêl, yna nodiodd yn araf. Doedd dim tolc yn y metel hyd yn oed.

Gan fod pawb arall mor llonydd, gallai Alecs glywed y sgwrs a ddilynodd.

'Mae'n iawn. Sori,' meddai'r gwarchodwr. 'Dyw e ddim wedi torri, a wnaf i ddim 'to.'

'Na. Wnei di ddim,' cytunodd Yassen, a'i saethu.

Poerodd y fwled o'i law, yn goch yn y tywyllwch. Trawodd y dyn yn ei frest, gan ei hyrddio'n ôl i droi mewn cylch lletchwith. Syrthiodd y dyn i'r môr. Am eiliad neu ddwy edrychodd i fyny ar y lleuad, fel petai'n ceisio'i hedmygu am y tro olaf. Yna caeodd y dŵr du drosto.

Cymerodd ugain munud arall i lwytho'r lori. Aeth Yassen i'r tu blaen efo Nadia Vole. Aeth Mr

134

Gwên yn un o'r ceir.

Roedd yn rhaid i Alecs amseru pethau'n ofalus. Wrth i'r lori gyflymu, gan ddringo'n swnllyd yn ôl i fyny at y ffordd, gadawodd yntau gysgod y creigiau, rhedeg ymlaen a thynnu'i hun i mewn iddi.

Ychydig o le oedd iddo, ond llwyddodd i ddod o hyd i fwlch a'i wasgu'i hun i mewn iddo. Rhedodd ei law dros un o'r bocsys. Roedd tua'r un maint â chist de, heb farciau arno, ac yn oer i'r llaw. Ceisiodd ddarganfod sut i'w agor, ond roedd wedi'i gloi mewn ffordd na allai ei deall.

Edrychodd allan o gefn y lori. Roedd y traeth a'r cei eisoes ymhell oddi tanynt. Roedd y llong danfor yn gwneud ei ffordd yn ôl i'r môr. Un foment roedd hi yno, yn ariannaidd a llyfn, yn llithro drwy'r dŵr. Yna roedd hi wedi suddo dan yr wyneb, gan ddiflannu'r un mor gyflym â breuddwyd cas.

MARWOLAETH YN Y GWAIR HIR

Cafodd Alecs ei ddeffro gan Nadia Vole flin yn curo ar ei ddrws. Roedd o wedi cysgu'n hwyr.

'Bore heddiw yw dy gyfle olaf i brofi'r Tarandon,' meddai.

'Iawn,' meddai Alecs.

'Pnawn heddiw ry'n ni'n dechre anfon y cyfrifiaduron allan i'r ysgolion. Mae Herr Sayle wedi awgrymu dy fod ti'n cael y prynhawn i ymlacio. Cerdded, falle, i Borth Tallon? Mae llwybr troed sydd yn arwain dros y caeau ac yna ger y môr. Wyt ti am wneud hynny?'

'Ie, hoffwn i hynna.'

'Iawn. A nawr rwy'n dy adael, i ti gael gwisgo amdanat. Fe ddof yn ôl ymhen … *zehn minuten*.'

Ymolchodd Alecs ei wyneb â dŵr oer cyn gwisgo amdano. Roedd hi'n bedwar o'r gloch y bore erbyn iddo gyrraedd yn ôl i'w stafell, ac roedd yn dal yn flinedig. Nid oedd ei antur nos wedi llwyddo cystal ag yr oedd wedi ei obeithio. Roedd wedi gweld cymaint – y llong danfor, y bocsys arian, marwolaeth y gwarchodwr a ollyngodd y bocs – ac eto, yn y diwedd, nid oedd wedi dysgu dim.

A oedd Yassen Gregorovitch yn gweithio i Herod Sayle? Doedd ganddo ddim prawf bod

Sayle yn gwybod ei fod yno. A beth am y bocsys? Fe allen nhw fod yn becynnau bwyd i weithwyr Antur Sayle, cyn belled ag y gwyddai o. Heblaw nad oedd neb yn lladd dyn am ollwng pecyn bwyd.

Roedd yn ddiwrnod olaf Mawrth. Fel y dywedodd Vole, roedd y cyfrifiaduron ar eu ffordd allan. Dim ond un diwrnod oedd ar ôl cyn y seremoni yn yr Amgueddfa Wyddoniaeth. Ond doedd gan Alecs ddim byd i'w adrodd, ac nid oedd yr unig ddarn o wybodaeth a anfonodd yn ôl i Lundain wedi profi o unrhyw werth chwaith. Roedd ateb yn ei ddisgwyl ar sgrin ei Game Boy wedi iddo'i droi ymlaen cyn mynd i'r gwely.

METHU ADNABOD DIAGRAM NA LLYTHRENNAU / RHIFAU. CYFEIRNOD MAP O BOSIB OND METHU CANFOD PA FAP. PLIS ANFONA SYLWADAU PELLACH.

Roedd Alecs wedi ystyried anfon neges i ddweud ei fod wedi gweld Yassen Gregorovitch yn y cnawd, ond penderfynodd beidio. Pe bai Yassen yno, roedd Mrs Jones wedi addo ei dynnu oddi yno. Ac yn sydyn roedd Alecs eisiau dilyn hyn drwodd i'r pen. Roedd rhywbeth rhyfedd yn digwydd yn Antur Sayle. Roedd hynny'n amlwg. Ac ni fyddai byth yn maddau

137

iddo'i hun os na allai ddarganfod beth.

Daeth Nadia Vole yn ôl i chwilio amdano fel
roedd hi wedi addo, a threuliodd Alecs y tair awr
nesaf yn chwarae â'r Tarandon. Ni chafodd
gymaint o fwynhad y tro hwn. A heddiw, fel y
sylwodd pan aeth at y drws, roedd gwarchodwr
ar ddyletswydd yn y coridor tu allan. Nid oedd
Antur Sayle am fentro rhoi'r un rhyddid iddo ag
o'r blaen.

Daeth un o'r gloch, ac o'r diwedd cafodd
Alecs ei ryddhau o'r stafell gan y gwarchodwr a'i
ddanfon cyn belled â'r brif giât. Roedd hi'n
bnawn hyfryd, a'r haul yn tywynnu wrth iddo
gerdded allan i'r ffordd. Trodd ei ben am un cip
olaf. Roedd Mr Gwên newydd ddod allan o un
o'r adeiladau ac yn siarad ar ffôn symudol.
Roedd rhywbeth ynghylch yr olygfa'n gwneud i
Alecs deimlo'n anghysurus. Pam byddai Mr
Gwên yn ffonio rŵan? A phwy yn y byd allai
ddeall yr un gair a ddywedai?

Dim ond ar ôl gadael y ganolfan y llwyddodd
Alecs i ymlacio. Wedi iddo gefnu ar y ffensys, y
gwarchodwyr arfog a'r teimlad bygythiol rhyfedd
oedd yn treiddio drwy Antur Sayle, roedd fel petai'n
anadlu awyr iach am y tro cyntaf ers dyddiau.
Roedd cefn gwlad Cernyw yn hardd, y bryniau
mwyn yn wyrddlas, ac yn frith o flodau gwyllt.

Daeth Alecs at arwydd y llwybr troed a throi oddi ar y ffordd. Amcangyfrifai fod Porth Tallon oddeutu dwy filltir i ffwrdd, llai nag awr o waith cerdded os na fyddai gormod o elltydd ar y llwybr. Fel y digwyddodd, dringai'r llwybr i fyny'n eithaf serth bron ar unwaith, ac yn sydyn roedd Alecs yn edrych i lawr dros ddŵr glas clir a phefriog y Sianel, wrth iddo ddilyn y llwybr igam-ogam hyd ymyl y clogwyni. Ar un ochr iddo ymestynnai caeau i'r pellter, a'u gwair hir yn plygu yn yr awel. Ar yr ochr arall iddo, roedd dibyn o hanner can metr i lawr i'r creigiau a'r dŵr oddi tanodd. Roedd Porth Tallon ei hun ym mhen pellaf y clogwyni, yn llechu ar lan y môr. O'r fan lle safai Alecs roedd y pentre'n edrych bron yn rhy henffasiwn, fel model mewn ffilm du-a-gwyn o Hollywood.

Daeth at doriad yn y llwybr, lle roedd llwybr arall, llawer mwy garw, yn arwain oddi wrth y môr ac ar draws y caeau. Pe bai wedi dilyn ei reddf byddai wedi mynd yn syth yn ei flaen, ond pwyntiai mynegbost y llwybr i'r dde. Roedd yna rywbeth od ynghylch yr arwydd. Oedodd Alecs am eiliad, gan geisio meddwl beth, yna anghofiodd amdano. Roedd o allan am dro yn y wlad ac roedd yr haul yn tywynnu. Beth ar y ddaear allai fod o'i le? Dilynodd yr arwydd.

Aeth y llwybr ymlaen am tua chwarter milltir arall, yna disgynnai i bant. Yn y fan hon roedd y gwair bron cyn daled ag Alecs, yn tyfu ar bob ochr iddo fel caets gwyrdd symudliw. Ffrwydrodd aderyn i'r golwg o'i flaen, pelen o blu brown yn troelli mewn cylch cyn hedfan i ffwrdd. Roedd rhywbeth wedi ei gynhyrfu. A dyna pryd y clywodd Alecs y sŵn – sŵn peiriant yn nesáu. Tractor efallai? Na. Roedd y sŵn yn rhy uchel ac yn symud yn rhy gyflym.

Gwyddai Alecs ei fod mewn perygl, yn union fel y mae anifail yn gwybod. Doedd dim angen gofyn pam na sut. Yn hollol syml, roedd perygl yn bresennol. A hyd yn oed wrth i'r slap tywyll ymddangos, yn rhuthro drwy'r gwair tuag ato, roedd Alecs yn ei daflu'i hun i un ochr, gan sylweddoli – yn rhy hwyr erbyn hyn – beth oedd o'i le ar yr ail arwydd llwybr. Roedd yn newydd sbon. Roedd yr un cyntaf, hwnnw oedd wedi ei arwain oddi ar y ffordd, yn hen arwydd, ag ôl tywydd arno. Roedd rhywun yn fwriadol wedi ei gyfeirio oddi ar y llwybr cywir a'i arwain i'r fan hon.

I'r cae lladd.

Trawodd y llawr a rholio i mewn i ffos. Ffrwydrodd y cerbyd drwy'r gwair, a'r olwyn flaen bron â tharo ei ben. Cafodd Alecs gip ar rywbeth byr, du â phedwar teiar trwchus arno, rhyw fath o groes rhwng tractor bach a beic modur. Ffigwr wedi crymu, mewn dillad lledr llwyd, oedd y gyrrwr, yn gwisgo helmed a gogls. Yna roedd wedi mynd, yn dyrnu i mewn i'r gwair yr ochr arall iddo gan ddiflannu'n syth, fel pe bai rhywun wedi tynnu llen.

Cododd Alecs yn frysiog a dechrau rhedeg. Roedd dau ohonyn nhw. Gwyddai rŵan beth oedden nhw. Roedd wedi gyrru pethau tebyg ei hun, ar wyliau, yn nhwyni tywod Death Valley, Nevada. *Four-by-fours* Kawasaki, wedi eu pweru gan beiriannau 400cc gyda thrawsyriant awtomatig. Beiciau cwad.

Roeddent yn ei amgylchu fel gwenyn. Sŵn grwnan, yna sgrech, ac roedd yr ail feic o'i flaen, yn rhuo amdano, yn torri llwybr llydan trwy'r gwair. Taflodd Alecs ei hun allan o'i ffordd, gan daro'r llawr yn drwm unwaith eto, bron yn tynnu'i ysgwydd o'i lle. Chwipiodd gwynt a mwg y peiriant dros ei wyneb.

Roedd yn rhaid iddo ddod o hyd i rywle i guddio. Ond roedd ynghanol cae, ac nid oedd lle yn unman, ar wahân i'r gwair ei hun. Brwydrodd drwyddo'n wyllt, y gwair yn crafu'i wyneb, yn ei hanner-dallu wrth iddo geisio mynd yn ôl at y prif lwybr. Roedd arno angen pobl eraill. Pwy bynnag oedd wedi gyrru'r peiriannau hyn (a chofiodd rŵan am Mr Gwên yn siarad ar ei ffôn symudol), allen nhw mo'i ladd os oedd yna lygad-dystion o gwmpas.

Ond doedd yna neb, ac roedden nhw'n dod amdano unwaith eto … gyda'i gilydd y tro hwn. Gallai Alecs glywed eu peiriannau, yn grwnan mewn unsain, yn dod yn gyflym y tu ôl iddo. Gan ddal i redeg, edrychodd dros ei ysgwydd a'u gweld, un bob ochr iddo, fel pe baent ar fin dal i fyny ag o. Dim ond pelydryn o haul a'r ffordd roedd y coesau gwair yn cael eu torri yn eu hanner a ddatgelai'r gwir arswydus. Roedd y ddau feiciwr wedi ymestyn gwifren denau rhyngddynt.

Taflodd Alecs ei hun ymlaen, gan lanio ar ei stumog. Chwipiodd y wifren drosto. Petai'n dal i fod ar ei draed byddai wedi cael ei dorri'n ddau.

Gwahanodd y beiciau cwad, eu llwybrau bwaog yn eu gyrru ymhellach i'r ddwy ochr. O leiaf roedd hynny'n golygu eu bod wedi gollwng y wifren. Roedd Alecs wedi troi ei ben-glin wrth syrthio a gwyddai mai mater o amser oedd hi cyn y bydden nhw'n ei gornelu a rhoi diwedd arno. Yn hanner-cloff, rhedodd ymlaen, gan chwilio am rywle i guddio neu rywbeth i'w amddiffyn ei hun. Ar wahân i rywfaint o arian doedd dim byd yn ei boced, dim cyllell boced hyd yn oed. Ar hyn o bryd roedd y peiriannau'n bell i ffwrdd, ond gwyddai y byddent yn closio unwaith eto unrhyw funud. A beth fyddai hi'r tro nesaf? Gwifren denau arall? Neu rywbeth gwaeth?

Roedd yn waeth. Yn llawer gwaeth. Daeth sŵn rhuo peiriant ac yna gwmwl cyflym o dân coch yn ffrwydro dros y gwair a'i losgi'n ulw. Teimlodd Alecs y tân yn llosgi ei ysgwydd; gwaeddodd a thaflu'i hun i un ochr. Roedd un o'r gyrwyr yn cario gwn tân!

Roedd newydd anelu bollt o dân wyth metr o hyd ato, gyda'r bwriad o losgi Alecs yn fyw. A bu bron iddo lwyddo. Cafodd Alecs ei arbed gan y ffos gul lle roedd wedi glanio. Nid oedd wedi ei gweld, hyd yn oed, nes iddo daro'r llawr, gan ei wthio'i hun i mewn i'r pridd gwlyb wrth i'r ffrwd o fflamau lyfu'r aer uwch ei ben. Roedd hi wedi bod yn agos iawn. Roedd drewdod ofnadwy i'w glywed: ei wallt ei hun. Roedd y tân wedi deifio'i wallt.

Gan dagu, a'i wyneb yn llanast o faw a chwys, straffaglodd Alecs allan o'r ffos a rhedeg yn ddall yn ei flaen. Doedd ganddo ddim syniad i ble roedd o'n mynd bellach. Y cyfan a wyddai oedd y byddai'r beiciau cwad yn ôl ymhen eiliadau. Roedd wedi cymryd tua deg cam cyn sylweddoli ei fod wedi cyrraedd ymyl y cae. Roedd arwydd o rybudd a ffens drydan yn ymestyn mor bell ag y gallai weld. Heblaw am y sŵn grwnan oedd yn codi o'r ffens byddai wedi rhedeg yn ei herbyn. Roedd y ffens bron yn anweledig, ac ni fyddai'r beicwyr cwad, wrth yrru'n gyflym tuag ati, yn gallu clywed y sŵn rhybudd uwchlaw rhu eu peiriannau eu hunain ...

Stopiodd a throi. Tua hanner can metr i ffwrdd roedd y gwair yn cael ei wastadu gan y cwad na allai Alecs ei weld eto wrth iddo ddechrau ei ymgyrch nesaf. Ond y tro hwn, arhosodd Alecs. Safodd yno, yn cydbwyso ar sodlau'i draed, fel matador. Ugain metr, deg ... Erbyn hyn roedd yn syllu'n syth ar gogls y gyrrwr; gwelai ddannedd cam y dyn wrth iddo wenu, y gwn tân yn dal yn ei law. Trawodd y cwad y rhwystr olaf o wair i'r llawr a llamu amdano ... heblaw nad oedd Alecs yno bellach. Roedd wedi neidio i un ochr, ac yn rhy hwyr fe welodd y dyn y ffens a hyrddio ymlaen, yn syth yn ei herbyn. Sgrechiodd y dyn wrth i'r wifren ei ddal am ei wddf, bron â'i dagu. Trodd y beic yn yr awyr, a syrthio i'r llawr. Disgynnodd y dyn ar y gwair a gorwedd yno'n llonydd.

Roedd y ffens wedi cael ei rhwygo o'r ddaear. Rhedodd Alecs draw at y dyn a'i archwilio. Am eiliad meddyliodd efallai mai Yassen oedd o, ond dyn ieuengach oedd hwn, â gwallt tywyll a wyneb hyll. Doedd Alecs erioed wedi ei weld o'r blaen. Roedd y dyn yn anymwybodol ond yn dal i anadlu. Gorweddai'r gwn tân, wedi ei ddiffodd, ar y llawr wrth ei ymyl. O'r tu ôl iddo, clywai Alecs y beic arall, heb fod yn agos, ond yn dod yn nes. Pwy bynnag oedd y bobl yma, roedden nhw wedi trio gyrru drosto, ei dorri yn ei hanner a'i losgi'n golsyn. Roedd yn rhaid iddo ddianc cyn iddyn nhw fynd ati o ddifrif.

Rhedodd draw at y cwad, oedd wedi glanio ar ei ochr. Fe'i tynnodd yn ôl ar ei olwynion, neidio i'r sedd a phwyso'r taniwr. Daeth y peiriant yn fyw ar unwaith. O leiaf doedd dim rhaid meddwl am newid gêr. Trodd Alecs y sbardun a chydio yn y cyrn llywio wrth i'r peiriant neidio ymlaen.

A rŵan roedd yn gwibio drwy'r gwair, fel niwl gwyrdd, wrth i'r cwad ei gario'n ôl at y llwybr troed. Ni allai glywed y beic arall, ond gobeithiai nad oedd gan y gyrrwr unrhyw syniad beth oedd wedi digwydd ac na fyddai, felly, yn ei ddilyn. Ysgydwodd ei esgyrn wrth i'r cwad daro rhych yn y ddaear a bownsio i fyny. Roedd angen gofal. Os methai â chanolbwyntio am eiliad byddai ar ei gefn ar lawr.

Torrodd drwy len werdd arall a thynnu'n wyllt ar y cyrn llywio er mwyn troi. Roedd wedi cyrraedd y llwybr – ac ymyl y clogwyn hefyd. Tri metr ymhellach ac fe fyddai wedi ei daflu'i hun i'r gwagle ac i lawr ar y creigiau islaw. Am eiliad neu ddwy eisteddodd yno, y peiriant yn troi'n hamddenol. Dyna pryd daeth y cwad arall i'r golwg. Rywsut neu'i gilydd roedd yn rhaid bod yr ail yrrwr wedi dyfalu beth oedd wedi digwydd. Roedd wedi cyrraedd y llwybr ac yn wynebu Alecs, tua dau gan metr i ffwrdd. Disgleiriai rhywbeth yn ei law, yn pwyso ar y cyrn llywio. Roedd yn cario gwn.

Edrychodd Alecs yn ôl ar hyd y llwybr lle roedd wedi cerdded yn gynharach. Dim iws. Roedd y llwybr yn rhy gul. Erbyn iddo droi'r cwad mewn hanner cylch byddai'r dyn arfog wedi ei gyrraedd. Un fwled a byddai'r cyfan ar ben. A allai fynd yn ôl i ganol y gwair? Na allai, am yr un rheswm. Roedd yn rhaid symud ymlaen, hyd yn oed os oedd hynny'n golygu gwrthdrawiad wyneb-yn-wyneb â'r cwad arall.

Pam lai? Fallai nad oedd yna'r un ffordd arall.

Pwysodd y dyn arall ei sbardun a llamodd y cwad ymlaen. Gwnaeth Alecs yr un peth. Roedd y ddau ohonyn nhw'n rasio tuag at ei gilydd bellach ar hyd llwybr cul – clawdd o bridd a chreigiau'n codi'n sydyn ar un ochr ac ymyl y clogwyn ar y llall. Doedd dim digon o le iddyn

146

nhw basio'i gilydd. Fe fydden nhw naill ai'n gorfod stopio neu daro'n erbyn ei gilydd ... ond os oedden nhw am stopio roedd yn rhaid gwneud hynny yn y deg eiliad nesaf.

Roedd y cwads yn dod yn nes ac yn nes at ei gilydd, yn cyflymu o hyd. Allai'r dyn ddim ei saethu rŵan, ddim heb golli rheolaeth. Ymhell islaw, disgleiriai'r tonnau arian wrth dorri ar y creigiau. Fflachiodd ymyl y clogwyn heibio. Roedd sŵn y cwad arall yn llenwi clustiau Alecs. Rhuthrai'r gwynt amdano, yn dyrnu'i frest a'i wyneb. Roedd fel gêm o *chicken* erstalwm. Roedd yn rhaid i un ohonyn nhw stopio. Roedd yn rhaid i un ohonyn nhw fynd o'r ffordd.

Tri, dau, un ...

Y gelyn oedd yr un a dorrodd yn y diwedd. Roedd lai na phum metr i ffwrdd, mor agos fel bod Alecs yn gallu gweld y chwys ar ei dalcen. Ar yr union eiliad pan oedd gwrthdrawiad yn edrych yn anorfod, trodd ei gwad a newid ei gyfeiriad oddi ar y llwybr ac i fyny'r llethr. Ar yr un pryd ceisiodd saethu'i wn. Ond roedd yn rhy hwyr. Roedd ei gwad yn gogwyddo, yn gwyro drosodd ar ddim ond dwy o'i olwynion, ac fe aeth yr ergyd ar ddisberod. Gwaeddodd y dyn. Wrth danio'r dryll roedd wedi colli'r ychydig reolaeth oedd ganddo ar ôl. Ymladdodd â'r

147

cwad, yn ceisio'i gael yn ôl ar ei bedair olwyn. Trawodd yn erbyn carreg a bownsio i fyny, gan lanio am eiliad ar y llwybr cyn mynd yn ei flaen dros ymyl y clogwyn.

Roedd Alecs wedi teimlo'r peiriant yn rhuthro heibio, ond heb weld dim mwy na siâp aneglur. Crynodd y cwad wrth iddo frêcio'n galed, a throdd ei ben jest mewn pryd i weld y cwad arall yn hedfan i'r awyr. Roedd y dyn, yn dal i sgrechian, wedi gallu tynnu'i hun yn rhydd o'r beic ar y ffordd i lawr, ond trawodd y ddau ohonyn nhw'r dŵr yr un foment. Suddodd y cwad o'r golwg eiliad neu ddwy cyn y dyn.

Pwy oedd wedi'i anfon? Nadia Vole oedd wedi cynnig iddo fynd am dro, ond Mr Gwên oedd yr un a'i gwelodd yn gadael. Mr Gwên oedd wedi rhoi'r gorchymyn – teimlai'n hollol sicr o hynny.

Gyrrodd Alecs y cwad yr holl ffordd hyd ddiwedd y llwybr. Roedd yr haul yn dal i dywynnu wrth iddo gerdded i lawr i mewn i'r pentref pysgota bach, ond ni allai fwynhau'r olygfa. Roedd yn flin ag ef ei hun oherwydd gwyddai ei fod wedi gwneud gormod o gamgymeriadau.

Dylsai fod yn gorff marw erbyn hyn. Dim ond lwc a ffens drydan foltedd-isel oedd wedi llwyddo i'w gadw'n fyw.

PWLL DOZMARY

Cerddodd Alecs drwy Borth Tallon, heibio i Dafarn y Rhwyd a'r Gawell, ac ymlaen dros gerrig llyfn y stryd i gyfeiriad y llyfrgell. Tua chanol y pnawn oedd hi, ond edrychai'r pentref fel pe bai'n cysgu; y cychod yn siglo'n dawel yn yr harbwr, y strydoedd a'r palmentydd yn wag. Troellai ambell wylan yn ddioglyd uwchben y toeau, yn gweiddi'n drist yn ôl eu harfer. Roedd arogl halen a physgod marw ar yr awel.

Safai'r llyfrgell, adeilad Fictoraidd o frics coch, yn hunan-bwysig ar ben yr allt. Gwthiodd Alecs y drws trwm yn agored ac aeth i mewn i stafell â llawr teils fel patrwm bwrdd gwyddbwyll, ac oddeutu hanner cant o silffoedd yn ymestyn o'r dderbynfa yn y canol. Eisteddai rhyw chwech neu saith o bobl wrth fyrddau, yn gweithio. Roedd dyn mewn siwmper drwchus yn darllen *Wythnos y Pysgotwr*. Aeth Alecs draw at ddesg y dderbynfa, a gwelodd yr arwydd anorfod yno – TAWELWCH OS GWELWCH YN DDA. Oddi tano eisteddai merch â gwên ar ei hwyneb crwn, yn darllen *Trosedd a Chosb*.

'Alla i'ch helpu chi?' Er gwaethaf yr arwydd, roedd ganddi lais mor uchel fel bod pawb wedi edrych i fyny pan siaradodd.

'Gallwch ...'

Roedd Alecs wedi dod yma oherwydd rhywbeth a ddywedodd Herod Sayle wrth iddo siarad am Ian Rider. *Treulio hanner ei amser yn y pentre. Yn y porthladd, swyddfa'r post, y llyfrgell.* Roedd Alecs wedi gweld y swyddfa bost yn barod, adeilad henffasiwn arall ger y porthladd. Doedd o ddim yn credu y byddai'n dysgu llawer yn fanno. Ond y llyfrgell? Efallai bod Rider wedi bod yma'n chwilio am wybodaeth. Efallai y byddai'r llyfrgellydd yn ei gofio.

'Mi roedd ffrind i mi'n aros yn y pentre,' meddai Alecs. 'Meddwl ro'n i tybed a ddaeth o yma. Ian Rider ydi ei enw.'

'Rider gydag I ynte Y? Sai'n credu bod unrhyw Riders 'da ni o gwbl.' Pwysodd y wraig ychydig o fotymau ar ei chyfrifiadur, yna ysgwyd ei phen. 'Na.'

'Roedd o'n aros yn Antur Sayle,' meddai Alecs. 'Roedd o tua pedwar deg oed, tenau, gwallt golau. Roedd o'n gyrru BMW.'

'O ie.' Gwenodd y llyfrgellydd. 'Fe ddaeth e 'ma unweth ne' ddwy. Dyn hoffus. Cwrtais iawn. Ro'n i'n gwbod taw gŵr dierth oedd e. Chwilio am lyfr oedd e.'

'Ydach chi'n cofio pa lyfr?'

'Wrth gwrs 'mod i. Sai'n gallu cofio wynebe

bob amser, ond fydda i byth yn anghofio llyfr. Roedd diddordeb 'da fe mewn feirysau.'

'Feirysau?'

'Ie. Dyna wedes i. Moyn rhyw wybodeth oedd e ...'

Feirws cyfrifiadur! Gallai hyn newid popeth. Feirws cyfrifiadur oedd y weithred ddifrodol berffaith: anweledig ac uniongyrchol. Un cymal bach wedi ei sgwennu i mewn i'r meddalwedd a gallai pob un darn o wybodaeth ym meddalwedd y Tarandon gael ei ddinistrio unrhyw bryd. Ond doedd dim posib y byddai Herod Sayle eisiau gwneud niwed i'w greadigaeth ei hun. Fyddai hynny ddim yn gwneud synnwyr o gwbl. Roedd hi'n bosib felly fod Alecs wedi ei gamfarnu o'r dechrau cyntaf. Fallai nad oedd gan Sayle unrhyw syniad beth oedd yn digwydd go iawn.

'Mae arna i ofn nad o'n i'n gallu'i helpu fe,' meddai'r llyfrgellydd wedyn. 'Dim ond llyfrgell fechan yw hon, ac mae'n grant ni wedi'i dorri am y drydedd flwyddyn yn olynol.' Ochneidiodd. 'Ta p'un 'nny, fe wedodd y bydde fe'n trefnu iddyn nhw hala rhyw lyfre lawr o Lunden. Fe wedodd e fod bocs 'da fe yn swyddfa'r post ...'

Roedd hyn hefyd yn gwneud synnwyr. Fyddai Ian Rider ddim eisiau derbyn gwybodaeth yn

151

Antur Sayle, lle gallai unrhyw un arall gael gafael arni.

'A dyna'r tro olaf i chi 'i weld o?' gofynnodd Alecs.

'Na. Fe ddaeth yn ôl ymhen rhyw wythnos. Mae'n rhaid ei fod e wedi cael beth oedd e'n moyn, achos y tro hwn nid whilo llyfre am feiryse oedd e. Roedd ei ddiddordeb e mewn materion lleol.'

'Pa fath o faterion lleol?'

'Hanes lleol Cernyw. Silff CL.' Pwyntiodd. 'Fe dreuliodd e un pnawn yn whilo yn un o'r llyfre ac yna fe aeth e. Ddaeth e ddim 'nôl oddi ar hynny, sydd yn siom. Ro'n i'n eitha gobitho y bydde te'n ymaelodi â'r llyfrgell. Fe fydde hi'n braf cael aelod newydd.'

Hanes lleol. Doedd hynny ddim yn mynd i'w helpu. Diolchodd Alecs i'r llyfrgellydd ac anelu am y drws. Roedd yn estyn ei law am y dwrn pan gofiodd.

CL 475/19.

Aeth i'w boced ac estyn y sgwâr papur roedd wedi dod o hyd iddo yn ei stafell wely. Yn ddigon siŵr, yr un rhai oedd y llythrennau. CL. Nid dangos cyfeirnod grid oedden nhw. Label ar lyfr oedd CL!

Aeth Alecs draw at y silff roedd y llyfrgellydd

152

wedi ei dangos iddo. Mae llyfrau'n heneiddio ynghynt pan nad oes neb yn eu darllen, ac roedd hi'n hen bryd i'r casgliad yma ymddeol, yn pwyso'n flinedig ar ei gilydd i'w dal i fyny. Teitl CL 475/19 – roedd y rhif wedi ei argraffu ar y cefn – oedd *Dozmary: Hanes Mwynglawdd hynaf Cernyw.*

Aeth Alecs â'r llyfr draw at un o'r byrddau, ei agor, a throi'r tudalennau'n gyflym, gan geisio dyfalu pam y gallai hanes cloddio am dun yng Nghernyw fod o ddiddordeb i Ian Rider. Roedd yr hanes a adroddai'n un cyfarwydd.

Bu'r pwll yn eiddo i'r teulu Dozmary am un genhedlaeth ar ddeg. Yn y bedwaredd ganrif ar bymtheg roedd pedwar cant o byllau yng Nghernyw. Erbyn y 1990au cynnar doedd dim ond tri ar ôl. Un o'r rheiny oedd Dozmary. Roedd pris tun wedi plymio, a'r pwll ei hun bron wedi ei wagio, ond doedd dim gwaith arall yn yr ardal, ac roedd y teulu wedi dal ymlaen i weithio'r pwll er eu bod yn colli arian yn gyflym. Ym 1991 roedd Syr Rupert Dozmary, y perchennog olaf, wedi ymneilltuo o olwg pawb a'i saethu ei hun yn ei ben. Cafodd ei gladdu ym mynwent yr eglwys leol mewn arch wedi ei gwneud, medden nhw, o dun.

Roedd ei blant wedi cau'r pwll a gwerthu'r tir uwchben i Antur Sayle. Cafodd y pwll ei hun ei selio, ac roedd llawer o'r twneli o dan ddŵr erbyn hyn.

Roedd nifer o hen ffotograffau du a gwyn yn y llyfr: merlod pwll a lanterni henffasiwn. Criwiau o ddynion yn sefyll, yn dal ceibiau a thuniau bwyd. Erbyn hyn roedd pob un ohonyn nhw o dan y ddaear eu hunain, mae'n siŵr. Wrth fyseddu drwy'r tudalennau, daeth Alecs at fap oedd yn dangos cynllun y twneli fel roeddent pan gaewyd y pwll.

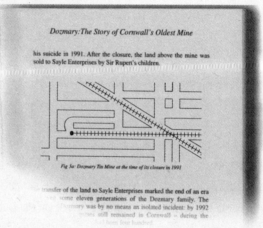

Dozmary:The Story of Cornwall's Oldest Mine

his suicide in 1991. After the closure, the land above the mine was sold to Sayle Enterprises by Sir Rupert's children.

Fig 5a: Dozmary Tin Mine at the time of its closure in 1991

transfer of the land to Sayle Enterprises marked the end of an era some eleven generations of the Dozmary family. The Dozmary was by no means an isolated incident: by 1992 mines still remained in Cornwall – during the been four hundred

Doedd graddfa'r map ddim yn amlwg, ond roedd ynddo labyrinth o siafftiau, twneli a chledrau rheilffordd yn rhedeg am filltiroedd o dan y ddaear. Os âi rhywun i lawr i dywyllwch dudew y rheilffordd danddaearol, byddai ar goll yn syth. Oedd Ian

Rider wedi dod o hyd i ffordd i mewn i Dozmary? Os oedd, beth oedd o wedi'ii ddarganfod?

Cofiodd Alecs am y coridor ar waelod y grisiau metel. Roedd y waliau brown tywyll, bras a'r bylbiau golau'n hongian wrth eu gwifrau wedi ei atgoffa o rywbeth, ac yn sydyn roedd yn gwybod beth. Mae'n rhaid fod y coridor yn un o dwneli'r hen bwll! Beth petai Ian Rider hefyd wedi mynd i lawr y grisiau? Fel Alecs, roedd yntau wedi dod wyneb yn wyneb â'r drws metel cloëdig ac wedi penderfynu dod o hyd i ffordd heibio iddo. Ond roedd o wedi nabod y coridor am yr hyn oedd o – a dyna pam roedd wedi dod yn ôl i'r llyfrgell. Roedd wedi dod o hyd i lyfr am Bwll Dozmary – y llyfr hwn. Roedd y map wedi dangos ffordd i'r ochr draw o'r drws.

Ac roedd o wedi gwneud nodyn o hynny!

Estynnodd Alecs y llun roedd Ian Rider wedi ei wneud a'i osod ar y dudalen, ar ben y map printiedig. Gan ddal y ddwy ddalen at ei gilydd, fe'u cododd nhw at y golau.

Dyma beth welodd Alecs.

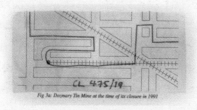

Fig 3a: Dozmary Tin Mine at the time of its closure in 1991

Roedd y llinellau a dynnwyd gan Rider ar y dudalen yn ffitio'n union dros siafftiau a thwneli'r pwll, ac yn dangos y ffordd drwodd. Os gallai Alecs ddod o hyd i'r fynedfa i Dozmary, gallai ddilyn y map drwodd i ochr arall y drws metel.

Ar ôl deng munud aeth allan o'r llyfrgell gyda llungopi o'r dudalen yn ei law. Aeth i lawr i'r harbwr a dod o hyd i un o'r siopau morwrol hynny sy'n gwerthu pob dim dan haul. Prynodd dortsh cryf, siwmper, rhaff a bocs o sialc yno.

Wedyn dringodd yn ôl i gyfeiriad y bryniau.

Yn ôl ar y beic cwad, rasiodd Alecs ar hyd y llwybr uwchben y clogwyni, a'r haul eisoes yn suddo yn y gorllewin. O'i flaen gallai weld yr un simnai a'r adfail o dŵr y gobeithiai fyddai'n nodi'r ffordd i mewn i Siafft Kerneweck, siafft a enwyd ar ôl iaith hynafol Cernyw. Yn ôl y map, yn y fan hon y dylai gychwyn. O leiaf roedd y cwad wedi hwyluso pethau. Byddai wedi cymryd awr iddo gerdded yno.

Gwyddai nad oedd ganddo lawer o amser. Fe fyddai'r peiriannau Tarandon wedi dechrau gadael y ffatri'n barod, ac ymhen llai na phedair awr ar hugain fe fyddai'r Prif Weinidog yn eu troi ymlaen. Os oedd y meddalwedd yn wir wedi

156

cael ei heintio gan ryw feirws, beth fyddai'n digwydd? Rhywbeth fyddai'n gwneud i Sayle a'r Llywodraeth Brydeinig edrych yn fach? Ynteu rywbeth gwaeth?

A sut oedd bỳg cyfrifiadurol yn berthnasol i'r hyn a welsai y noson cynt? Beth bynnag oedd yn cael ei ddadlwytho oddi ar y llong danfor wrth y cei, nid meddalwedd cyfrifiadurol oedd o. Roedd y bocsys lliw arian yn rhy fawr. A does neb yn saethu dyn am ollwng disg cyfrifiadur.

Parciodd Alecs y cwad yn agos at y tŵr ac aeth i mewn drwy ddrws bwaog. Ar y dechrau meddyliodd ei fod wedi gwneud camgymeriad. Edrychai'r adeilad yn debycach i adfeilion eglwys na mynedfa pwll. Roedd pobl eraill wedi bod yno o'i flaen. Ar y llawr roedd ambell dun cwrw wedi'i wasgu a hen bacedi creision, a'r graffiti arferol ar y waliau. BU JRH YMA. NIC CARU CASS. Ymwelwyr oedd wedi gadael y darnau gwaethaf ohonyn nhw'u hunain ar ôl mewn paent fflworoleuol.

Clywodd sŵn clencian wrth iddo sathru ar rywbeth a gwelodd ei fod yn sefyll ar drapddor o fetel, wedi ei osod yn y llawr concrid. O gwmpas yr ymylon roedd gwair a chwyn yn tyfu, ond wrth roi ei law yn erbyn yr agen gallai glywed chwa o wynt yn codi oddi isod. Roedd yn rhaid mai hon oedd mynedfa'r siafft.

Roedd y trapddor wedi'i folltio i'w le gan glo clep trwm, sawl centimetr o drwch. Rhegodd Alecs dan ei wynt. Roedd wedi gadael yr eli plorod ar ôl yn ei stafell. Byddai'r eli wedi bwyta drwy'r bollt mewn eiliadau, ond doedd ganddo mo'r amser i fynd yr holl ffordd i Antur Sayle i'w nôl o. Aeth ar ei liniau ac ysgwyd y clo mewn rhwystredigaeth. Er syndod iddo, agorodd y clo yn ei law. Roedd rhywun wedi bod yno o'i flaen. Ian Rider, mae'n rhaid. Mae'n siŵr ei fod wedi llwyddo i'w agor, ac yna heb ei gau'n iawn wedyn fel y byddai'n barod pan ddeuai'n ôl.

Tynnodd Alecs y clo o'i le a gafael yn y trapddor. Roedd angen ei holl nerth i'w godi, ac wrth iddo wneud hynny teimlodd chwa o wynt oer yn ei daro yn ei wyneb. Clenciodd y trapddor yn agored a chafodd Alecs ei hun yn edrych i mewn i dwll du oedd yn ymestyn i lawr ymhellach na'r golau dydd. Taflodd Alecs olau ei dorts i'r twll. Goleuodd y pelydryn tua hanner can metr, ond roedd y siafft yn mynd yn ddyfnach na hynny. Gafaelodd mewn carreg a'i gollwng. Aeth o leiaf ddeg eiliad heibio cyn i'r garreg daro rhywbeth ymhell islaw.

Roedd ysgol rydlyd yn rhedeg i lawr ochr y siafft. Gwnaeth Alecs yn siŵr fod y cwad allan

o'r golwg, yna gosododd y rhaff dros ei ysgwydd
a gwthio'r tortsh i'w felt. Teimlai'n annifyr wrth
iddo ddringo i mewn i'r twll. Roedd y ffyn metel
fel rhew ar ei ddwylo, a chyn gynted ag yr aeth
ei ysgwyddau'n is na lefel y llawr diflannodd y
golau; teimlai ei hun yn cael ei sugno i mewn i
dywyllwch mor llwyr fel na allai fod yn sicr a
oedd ganddo lygaid ai peidio. Ond roedd yn
amhosib iddo ddringo a gafael yn y tortsh yr un
pryd. Roedd yn rhaid iddo deimlo'i ffordd – llaw,
wedyn troed – gan fynd yn bellach ac yn bellach
i lawr nes i'w sawdl daro'r llawr o'r diwedd.
Roedd wedi cyrraedd gwaelod Siafft
Kerneweck.

Edrychodd Alecs i fyny. Prin y gallai weld y
twll yr oedd wedi dringo drwyddo – twll bach,
crwn, cyn belled i ffwrdd â'r lleuad. Anadlai'n
drwm, gan frwydro yn erbyn y teimlad o
glawstroffobia. Estynnodd y tortsh a'i oleuo.
Llamodd y llafn golau o'i law, yn dangos y ffordd
ymlaen ac yn taflu golau gwyn, pur ar y fan lle
roedd yn sefyll. Roedd Alecs ar ddechrau
twnnel hir, y waliau a'r to anwastad yn cael eu
dal yn eu lle gan ddistiau pren. Roedd y llawr yn
llaith yn barod, ac roedd rhyw fath o sglein dŵr
heli yn yr aer. Roedd hi'n oer yn y pwll. Roedd
yn gwybod y byddai, a chyn symud ymlaen

gwisgodd y siwmper roedd wedi ei phrynu, yna gwnaeth farc X mawr mewn sialc ar y wal. Roedd hynny wedi bod yn syniad da hefyd. Beth bynnag oedd yn digwydd i lawr yma, roedd am fod yn sicr y gallai ddod o hyd i'r ffordd yn ôl.

O'r diwedd roedd yn barod. Cymerodd ddau gam ymlaen, i ffwrdd o'r siafft uwchben, ac i mewn i ddechrau'r twnnel. Ar unwaith teimlodd bwysau'r graig solet, y pridd a'r gwythiennau tun oedd ar ôl, yn pwyso i lawr arno. Roedd yn arswydus yma. Teimlai'n union fel pe bai'n cael ei gladdu'n fyw, ac roedd arno angen ei holl nerth i wthio'i hun ymlaen. Ar ôl tua hanner cant o gamau daeth at ail dwnnel oedd yn gwyro tua'r chwith. Estynnodd lungopi'r map o'i boced a'i ddarllen yng ngolau'r tortsh. Yn ôl Ian Rider, dyma ble roedd angen iddo droi i ffwrdd. Trodd y tortsh i'r ochr a dilyn y twnnel, a ogwyddai at i lawr, gan fynd ag o'n ddyfnach ac yn ddyfnach i lawr i'r ddaear.

Doedd dim sŵn o gwbl yn y pwll heblaw ei anadlu cras ei hun, crensian ei esgidiau a churiad ei galon yn cyflymu. Roedd fel petai'r düwch yn difodi'r sain yn ogystal â'r golwg. Agorodd Alecs ei geg a galw, dim ond er mwyn clywed rhywbeth. Ond roedd ei lais yn swnio'n fach, yn ei atgoffa o'r pwysau anferthol uwch ei ben. Roedd y twnnel hwn mewn cyflwr gwael. Roedd rhai o'r distiau wedi torri a syrthio, ac wrth iddo fynd heibio, trawodd llond llaw o gerrig mân ei wddf a'i ysgwyddau, gan ei atgoffa bod pwll Dozmary yn cael ei gadw dan glo am reswm. Roedd yn lle dieflig. Gallai gwympo unrhyw adeg.

Aeth y llwybr ag o'n ddyfnach fyth. Gallai deimlo'r pwysedd yn dyrnu yn ei glustiau, a theimlai'r tywyllwch hyd yn oed yn dewach ac yn fwy trymaidd. Daeth at ddryswch o haearn a gwifrau, rhyw fath o beiriant wedi ei hen gladdu a'i anghofio. Dringodd drosto'n rhy gyflym, gan anafu ei goes ar ddarn o fetel miniog. Safodd yn llonydd am eiliad neu ddwy, a gorfodi'i hun i arafu. Roedd yn gwybod na allai gynhyrfu. *Os cynhyrfi di, mi ei di ar goll. Meddylial am beth wyt ti'n wneud. Bydd yn ofalus. Un cam ar y tro.*

'Ocê. Ocê …' Sibrydodd y geiriau i'w gysuro'i hun, yna aeth yn ei flaen.

Daeth allan i ryw fath o siambr lydan, gron, wedi ei ffurfio wrth i chwe gwahanol dwnnel gyfarfod, a'r cyfan yn dod at ei gilydd ar ffurf seren. Roedd y lletaf o'r rhain yn dod o'r chwith, ac olion rheilffordd ynddo. Trodd Alecs y tortsh a gwelodd bâr o wagenni pren fyddai'n cael eu defnyddio, mae'n rhaid, i gario offer i lawr yno neu i gario tun yn ôl i fyny i'r wyneb. Wrth ddarllen y mapiau roedd yn cael ei demtio i ddilyn y rheilffordd oedd i'w gweld yn cynnig ffordd gyflym ar draws y llwybr roedd Ian Rider wedi'i farcio. Ond penderfynodd beidio gwneud. Roedd ei ewyrth wedi troi'r gornel ac wedi mynd yn ôl ar ei lwybr ei hun. Roedd yn sicr bod yna reswm am hynny. Gwnaeth Alecs ddwy groes arall mewn sialc, un am y twnnel roedd wedi ei adael, un arall am hwnnw roedd yn mynd i mewn iddo. Aeth yn ei flaen.

Yn fuan iawn, roedd y twnnel newydd yma'n mynd yn is ac yn gulach yn gyflym nes bod Alecs yn methu cerdded heb wyro. Roedd y llawr yn wlyb iawn, a phyllau dŵr yn cyrraedd at ei fferau. Cofiodd mor agos oedd at y môr, a daeth hynny â syniad annifyr arall i'w ben. Faint o'r gloch oedd penllanw? A phan fyddai'r dŵr yn codi, beth fyddai'n digwydd tu mewn i'r pwll? Yn sydyn, dychmygodd Alecs ei hun yn cael ei ddal mewn düwch, a'r dŵr yn codi dros ei frest, ei wddf, ei wyneb. Stopiodd, a'i orfodi ei hun i feddwl am rywbeth arall. I lawr yma, ar ei ben ei hun, ymhell islaw wyneb y ddaear, ni allai fforddio gwneud gelyn o'i ddychymyg ei hun.

Gwyrai'r twnnel i un ochr, yna ymunai â rheilffordd arall; roedd hon wedi ei phlygu a'i

162

thorri, a'i gorchuddio yma ac acw â rwbel oedd wedi syrthio o'r to, mae'n rhaid. Ond roedd y cledrau metel yn ei gwneud yn haws i symud ymlaen, gan eu bod yn adlewyrchu golau'r tortsh. Dilynodd Alecs y cledrau yr holl ffordd i'r fan lle roeddent yn ymuno â'r brif reilffordd. Roedd wedi cymryd hanner awr iddo, ac roedd bron â bod yn ôl yn y fan lle cychwynnodd ond, wrth gyfeirio golau'r tortsh o'i gwmpas, gallai weld pam bod Ian Rider wedi ei yrru'r ffordd hiraf. Roedd to'r twnnel wedi cwympo. Tua deg metr ar hugain ar hyd y lein roedd rhwystr ar draws y brif reilffordd.

Aeth dros y cledrau, yn dal i ddilyn y mapiau, a stopio. Edrychodd ar y mapiau, yna ar y ffordd ymlaen unwaith eto. Roedd yn amhosib. Ac eto doedd dim camgymeriad.

Roedd wedi cyrraedd twnnel bach, crwn yn gwyro'n serth am i lawr. Ond ar ôl deg metr roedd y twnnel yn darfod, a'r hyn a edrychai fel dalen o fetel yn cau'r llwybr. Cododd Alecs garreg a'i thaflu. Clywodd sblash. Nawr roedd yn deall. Roedd y twnnel i gyd o dan ddŵr a hwnnw mor ddu â glo. Roedd y dŵr wedi codi i do'r twnnel, felly hyd yn oed os gallai nofio mewn dŵr a oedd bron â rhewi, fe fyddai'n amhosib iddo anadlu. Ar ôl ei holl waith caled, ar ôl treulio'r holl amser dan y ddaear, doedd dim ffordd ymlaen.

Trodd Alecs. Roedd ar fin mynd yn ei ôl, ond hyd yn oed wrth iddo droi'r tortsh fe welodd yn y golau rywbeth yn gorwedd yn swp ar y llawr. Aeth draw ato a phlygu drosto. Siwt sych plymiwr oedd hi, ac edrychai'n newydd sbon. Cerddodd Alecs yn ôl at ymyl y dŵr a'i harchwilio yng ngolau'r tortsh. Y tro yma fe welodd rywbeth arall. Roedd rhaff wedi'i chlymu wrth y graig. Gogwyddai i lawr i'r dŵr cyn diflannu. Roedd Alecs yn gwybod beth oedd ei harwyddocâd.

Roedd Ian Rider wedi nofio drwy'r twnnel tanddŵr. Roedd wedi gwisgo siwt sych ac wedi llwyddo i osod rhaff i'w arwain drwodd. Roedd yn berffaith amlwg ei fod wedi bwriadu dod yn ôl. Dyna pam y gadawodd y clo clep heb ei gau. Unwaith eto, meddyliodd Alecs, roedd ei ewythr wedi ei helpu. Y cwestiwn oedd, a oedd o'n ddigon dewr i fynd ymlaen?

Cododd Alecs y siwt sych oddi ar y llawr. Roedd hi'n rhy fawr iddo, er y byddai'n debyg o gadw'r oerni gwaethaf allan. Ond nid yr oerni oedd yr unig broblem. Gallai'r twnnel fynd ymlaen am ddeg metr. Gallai fynd am gant. Sut gallai o fod yn sicr nad oedd Ian Rider wedi defnyddio offer scwba i nofio drwodd? Os byddai Alecs yn mynd i lawr yna, i'r dŵr, a mynd yn brin o aer hanner ffordd ar draws, byddai'n boddi. Wedi ei ddal dan y graig yn y tywyllwch rhewllyd. Ni allai ddychmygu ffordd waeth i farw.

Ond roedd wedi dod cyn belled, ac yn ôl y map roedd bron â chyrraedd. Rhegodd. Y foment honno roedd yn edifar iddo erioed glywed am Alan Blunt, Antur Sayle a'r Tarandon. Ond ni allai droi'n ôl. Os oedd ei ewythr wedi llwyddo, gallai yntau wneud hefyd; dewrder oedd y gair allweddol. Tynnodd y siwt sych amdano.

Roedd y siwt yn oer, yn glynu'n llaith ac yn anghyfforddus. Caeodd y zip. Roedd wedi cadw ei ddillad arferol amdano, ac efallai bod hynny'n help. Roedd y siwt yn llac mewn mannau, ond teimlai'n sicr y byddai'n cadw'r dŵr allan.

Gan symud yn gyflym, rhag ofn iddo newid ei feddwl pe bai'n petruso, aeth Alecs at ymyl y dŵr. Estynnodd am y rhaff a gafael ynddi ag un llaw. Byddai wedi gallu nofio'n gyflymach â dwy law, ond nid oedd am fentro. Byddai mynd ar goll yn y twnnel tanddŵr cyn waethed â rhedeg allan o aer. Yr un fyddai'r canlyniad. Roedd yn rhaid iddo ddal ei afael yn y rhaff er mwyn iddi ei arwain ymlaen. Tynnodd Alecs sawl anadl ddofn, yn goranadlu ac ocsigeneiddio'i waed, gan wybod y byddai hynny'n rhoi eiliadau gwerthfawr ychwanegol iddo. Yna plymiodd i mewn.

Roedd yr oerni'n ffyrnig, fel ergyd morthwyl, a bron iawn yn ddigon i wthio'r anadl o'i ysgyfaint. Curodd y dŵr ar ei ben, gan droelli o amgylch ei drwyn a'i lygaid. Collodd y teimlad yn ei fysedd ar unwaith. Teimlodd y sioc â'i gorff cyfan, ond roedd y siwt sych yn dal, yn cadw rhyw gymaint o wres ei gorff i mewn, o leiaf. Gan afael yn y rhaff, ciciodd ymlaen. Roedd wedi mentro. Doedd dim troi'n ôl.

Tynnu, cicio. Tynnu, cicio. Roedd Alecs wedi bod dan y dŵr am lai na munud, ond roedd ei ysgyfaint yn teimlo'r straen yn barod. Roedd to'r twnnel yn crafu'i ysgwyddau, ac ofnai y byddai'n rhwygo drwy'r siwt sych a thyllu i'w groen hefyd. Ond feiddiai o ddim arafu. Roedd yr oerni llethol yn sugno'r nerth allan ohono. Tynnu a chicio. Tynnu a chicio. Am ba hyd y bu dan y dŵr? Naw deg eiliad? Cant? Roedd ei lygaid wedi eu cau'n dynn, ond pe byddai'n eu hagor fyddai dim gwahaniaeth. Roedd hyn yn rhyw fersiwn du, rhewllyd, troellog o uffern. Ac roedd ei anadl ar fin darfod.

Tynnodd ei hun ymlaen ar hyd y rhaff, gan

losgi'r croen oddi ar gledrau'i ddwylo. Roedd yn rhaid ei fod wedi bod yn nofio am yn agos i ddau funud. Teimlai'n agosach at ddeg. Roedd yn *rhaid* iddo agor ei geg ac anadlu, hyd yn oed os mai dŵr fyddai'n rhuthro i'w wddf … Ffrwydrodd sgrech ddistaw tu mewn iddo. Tynnu, cicio. Tynnu, cicio. Ac yna anelodd y rhaff am i fyny a theimlodd ei ysgwyddau'n codi allan o'r dŵr. Rhwygwyd ei geg yn agored mewn anadliad anferth wrth iddo dynnu aer i mewn i'w ysgyfaint. Gwyddai ei fod wedi ei gwneud hi, ag eiliadau'n unig, efallai, wrth gefn.

Ond ei gwneud hi i ble?

Ni welai Alecs ddim. Roedd yn nofio mewn tywyllwch llwyr, heb allu gweld hyd yn oed ble roedd y dŵr yn darfod. Roedd wedi gadael y tortsh yn y pen arall, ond gwyddai nad oedd ganddo'r nerth i fynd yn ôl, hyd yn oed os oedd yn dymuno gwneud hynny. Roedd wedi dilyn trywydd a adawyd gan ddyn marw. Dim ond rŵan y sylweddolodd Alecs y gallai'r trywydd hwnnw ei arwain at y bedd.

TU ÔL I'R DRWS

Nofiodd Alecs yn araf yn ei flaen, yn gwbl ddall, gan ofni y gallai hollti'i ben yn erbyn y graig ar unrhyw foment. Er y siwt sych, roedd yn dechrau teimlo oerni'r dŵr, a gwyddai fod yn rhaid iddo ddod o hyd i ffordd allan cyn bo hir. Trawodd ei law yn erbyn rhywbeth, ond roedd ei fysedd yn rhy ddideimlad i wybod beth oedd o. Estynnodd ei fraich a thynnu ei hun ymlaen. Cyffyrddodd ei draed â'r gwaelod. A dyna pryd y sylweddolodd. Roedd yn gallu gweld. Rhywsut, o rywle, roedd golau gwan yn diferu i mewn y tu draw i'r twnnel tanddwr.

Yn araf, dechreuodd ei lygaid ymgyfarwyddo â'r golau. Gallai weld amlinell ei fysedd wrth iddo symud ei law o flaen ei wyneb. Roedd yn cydio mewn dist bren, postyn i ddal y to oedd wedi syrthio. Caeodd ei lygaid, yna'u hailagor. Roedd y tywyllwch wedi cilio, a gallai weld croesffordd wedi ei thorri allan o'r graig, man cyfarfod tri thwnnel. Y pedwerydd twnnel, y tu ôl iddo, oedd yr un tanddŵr. Er mor wan oedd y golau, rhoddodd nerth iddo. Gan ddefnyddio'r dist, tynnodd ei hun i fyny ar y graig. Yr un pryd sylwodd ar sŵn curo tawel. Ni allai fod yn sicr a oedd y sŵn yn bell neu'n agos, ond cofiodd beth oedd wedi'i glywed o dan Bloc Ch wrth iddo sefyll o flaen y drws metel, a gwyddai ei fod wedi cyrraedd.

Tynnodd y siwt sych oddi amdano. Yn ffodus, roedd hi wedi cadw'r dŵr allan. Roedd y rhan fwyaf o'i gorff yn sych, ond roedd dŵr rhewllyd yn dal i ddiferu o'i wallt ac i lawr ei wddf, ac roedd ei drenyrs a'i sanau yn wlyb diferol. Wrth iddo symud yn ei flaen gwnâi ei draed sŵn slwtsio, ac roedd yn rhaid iddo dynnu'i drenyrs ac ysgwyd y dŵr allan ohonynt cyn parhau. Roedd map Ian Rider wedi'i blygu yn ei boced o hyd, ond doedd o mo'i angen mwyach. Y cyfan roedd yn rhaid iddo ei wneud oedd dilyn y golau.

Aeth yn syth yn ei flaen at gyffordd arall, yna troi i'r dde. Roedd digon o olau erbyn hyn iddo weld lliw y graig – brown tywyll a llwyd. Roedd y sŵn curo'n uwch hefyd, a gallai Alecs deimlo chwa o aer gynnes yn llifo i lawr tuag ato. Symudodd ymlaen yn ofalus, gan geisio dyfalu beth oedd o'i flaen. Aeth rownd y tro, ac yn sydyn yn lle'r graig roedd wal o frics newydd ar bob ochr iddo, a gridiau metel bob hyn a hyn wedi eu gosod ychydig yn uwch na'r llawr. Roedd hen siafft y pwll wedi ei thrawsnewid ac yn cael ei defnyddio fel allanfa i ryw fath o system awyru. Roedd y golau a arweiniodd Alecs yn ei flaen yn dod o'r gridiau.

Penliniodd wrth ymyl y grid cyntaf ac edrych

drwyddo i mewn i stafell fawr, â theils gwyn ar y waliau; labordy ac ynddo offer cymhleth o wydr a dur wedi'u gosod ar y meinciau gweithio. Roedd y stafell yn wag. Yn ofalus, cydiodd Alecs yn y grid, ond roedd wedi ei folltio i mewn i wyneb y graig. Roedd yr ail grid yn perthyn i'r un stafell. Roedd hwnnw hefyd wedi ei sgriwio'n dynn. Aeth Alecs yn ei flaen ar hyd y twnnel at drydydd grid. Trwy hwn edrychai i mewn i storfa, a'r storfa honno'n llawn o'r bocsys arian roedd wedi eu gweld yn cael eu dadlwytho o'r llong danfor y noson cynt.

Gafaelodd yn y grid â'i ddwy law a thynnu. Daeth yn rhydd o'r graig yn hawdd, ac wrth i Alecs graffu deallodd pam. Roedd Ian Rider wedi bod yma o'i flaen ac wedi torri drwy'r bolltau oedd yn dal y grid yn ei le. Gosododd Alecs y grid ar y llawr yn dawel. Teimlai'n drist. Roedd Ian Rider wedi dod o hyd i ffordd drwy'r pwll, wedi creu'r map, wedi nofio drwy'r twnnel tanddŵr ac wedi agor y grid – a'r cyfan ar ei ben ei hun. Fyddai Alecs byth wedi dod hanner cyn belled â hyn heb ei help. Byddai'n dda ganddo petai wedi nabod ei ewythr yn well, a chael y cyfle i'w edmygu'n fwy cyn iddo farw.

Yn ofalus, dechreuodd Alecs wasgu drwy'r twll petryal a gollwng ei hun i lawr i'r stafell. Ar y funud olaf – wrth iddo orwedd ar ei stumog a'i draed yn hongian am i lawr – estynnodd y grid a'i osod yn ôl yn ei le. Heb graffu'n ofalus, fyddai neb yn gweld dim byd o'i le. Disgynnodd i'r llawr a glanio, fel cath, ar flaenau'i draed. Roedd y sŵn curo'n uwch erbyn hyn, yn dod o rywle tu allan. Byddai'n cuddio unrhyw sŵn a wnâi Alecs. Aeth draw at y bocs arian agosaf a'i archwilio. Y tro hwn cliciodd yn agored yn ei ddwylo, ond pan edrychodd i mewn roedd y bocs yn wag. Roedd beth bynnag a gyrhaeddodd ynddo yn cael ei ddefnyddio'n barod.

Chwiliodd am gamerâu, yna aeth draw at y drws. Roedd heb ei gloi. Fe'i agorodd, un centimetr ar y tro, a sbecian allan. Roedd y drws yn agor ar goridor llydan â chanllaw arian yn rhedeg ar ei hyd a drws llithro awtomatig ymhob pen.

'1900 awr. Shifft goch i'r rhes gydosod. Shifft las i'r adran ddiheintio.'

Atseiniodd y llais o'r system uchelseinydd – nid llais gwrywaidd na benywaidd, ond llais di-emosiwn, annynol. Edrychodd Alecs ar ei oriawr. Roedd yn saith o'r gloch yr hwyr yn barod. Roedd y daith drwy'r pwll wedi cymryd mwy o amser na'r disgwyl. Sleifiodd yn ei flaen. Nid coridor yn union oedd yr hyn yr oedd wedi'i ddarganfod. Roedd yn debycach i blatfform arsylwi. Aeth at y canllaw ac edrych i lawr.

Doedd gan Alecs ddim syniad beth oedd yn ei ddisgwyl y tu ôl i'r drws metel, ond roedd yr hyn a welai ymhell tu hwnt i unrhyw beth y gallai fod wedi'i ddychmygu. Siambr anferthol oedd hi, a'r waliau – eu hanner yn graig noeth, y gweddill yn ddur gloyw – wedi'u gorchuddio ag offer cyfrifiadurol, mesuryddion electronig, peiriannau oedd yn chwincio ac yn pefrio fel pethau byw. Roedd rhwng deugain a hanner cant o bobl yn gweithio yno, rhai mewn cotiau gwyn, eraill mewn oferôls, pob un yn gwisgo band o wahanol liw ar ei fraich: coch, melyn, glas a gwyrdd. Disgleiriai arc-oleuadau i lawr oddi uchod. Safai gwarchodwyr arfog ymhob drws, yn gwylio'r gwaith â wynebau gwag.

Dyma ble roedd y peiriannau Tarandon yn cael eu rhoi at ei gilydd. Symudai'r cyfrifiaduron yn araf mewn llinell hir, ddi-dor ar hyd belt symudol, heibio i'r gwahanol wyddonwyr a thechnegwyr. Y peth rhyfedd oedd bod y peiriannau'n edrych fel pe baen nhw'n orffenedig … ac wrth gwrs roedd yn rhaid eu bod. Roedd Sayle wedi dweud wrtho. Roedden nhw'n cael eu dosbarthu yn ystod y pnawn a'r noson honno. Felly pa waith addasu munud-olaf oedd yn digwydd yn y ffatri gyfrinachol hon? A pham bod cymaint o'r llinell gynhyrchu wedi ei chadw yn y dirgel? Canran fechan o'r cyfan oedd Alecs wedi'i weld ar ei wibdaith o amgylch Antur Sayle. Roedd prif gorff y ffatri yma, o dan y ddaear.

Edrychodd yn agosach. Cofiodd am y Tarandon roedd wedi'i ddefnyddio, a sylwodd ar rywbeth nad oedd wedi'i weld bryd hynny. Roedd stribed o blastig wedi'i dynnu'n ôl yn y cas, uwchben pob sgrin, i ddatgelu bwlch bychan, siâp silindr, tua phum centimetr o ddyfnder. Roedd y cyfrifiaduron yn symud o dan beiriant hynod – cantilifrau, gwifrau a breichiau hydrolig. Roedd tiwbiau prawf arian, anhryloyw, yn cael eu bwydo ar hyd caets cul, yn symud ymlaen fel petai i gyfarch y cyfrifiaduron: un tiwb i bob cyfrifiadur. Roedd yna fan cyfarfod. Â manylder anhygoel, roedd y tiwbiau'n cael eu codi o'u lle, eu cario i'r ochr ac yna'n cael eu gosod yn y bylchau agored. Ar ôl hynny roedd y peiriannau Tarandon yn cyflymu yn eu blaenau. Roedd peiriant arall yn cau ac yn selio'r stribedi plastig â gwres. Erbyn i'r cyfrifiaduron gyrraedd pen y rhes, lle roedden nhw'n cael eu pacio mewn bocsys coch a gwyn o eiddo Antur Sayle, roedd y bylchau'n gwbl anweledig.

Daliodd rhyw symudiad lygad Alecs, ac edrychodd tu draw i'r llinell gynhyrchu a thrwy

173

ffenest fawr i'r siambr drws nesaf. Roedd dau ddyn mewn siwtiau gofod yn cerdded yn drwsgl gyda'i gilydd, fel petaent mewn clip o ffilm symudiad araf. Dyma nhw'n stopio. Dechreuodd larwm seinio, a diflannodd y ddau mewn cwmwl o stêm gwyn. Cofiodd Alecs beth oedd newydd ei glywed. Cael eu diheintio roedden nhw? Ond os oedd y Tarandon yn seiliedig ar y prosesydd crwn yna, doedd dim posib bod angen y fath driniaeth eithafol – a beth bynnag, roedd hyn yn wahanol i unrhyw beth a welsai Alecs erioed o'r blaen. Os mai cael eu diheintio oedd y dynion, yna rhag beth oedden nhw'n cael eu diheintio?

'Asiant Gregorovitch i'r Parth Blogyfynglant ar unwaith. Galwad i Asiant Gregorovitch yw hon.'

Gadawodd ffigwr main, gwallt golau, yn gwisgo dillad du y llinell gynhyrchu a cherdded yn ddioglyd tuag at ddrws a lithrodd ar agor iddo. Am yr ail dro roedd Alecs yn edrych ar y llofrudd cytundeb – y Rwsiad, Yassen Gregorovitch. Beth oedd yn digwydd? Meddyliodd Alecs yn ôl i'r llong danfor a'r bocsys wedi'u selio dan wactod. Wrth gwrs! Yassen oedd wedi dod â'r tiwbiau prawf oedd yn cael eu gosod yn y cyfrifiaduron y funud hon. Roedd y tiwbiau prawf yn rhyw fath o arf roedd am ei defnyddio i ddifetha'r cyfrifiaduron. Na.

174

Doedd hynny ddim yn bosib. Roedd y llyfrgellydd ym Mhorth Tallon wedi dweud wrtho bod Ian Rider wedi bod yn gofyn am lyfrau am firysau cyfrifiaduron …

Firysau.

Diheintio.

Y Parth Biogyfyngiant.

Roedd yn deall o'r diwedd. Roedd yn teimlo hefyd. Yn teimlo rhywbeth oer a chaled yn procio cefn ei wddf. Doedd Alecs ddim wedi clywed y drws yn agor y tu ôl iddo, ond tynhaodd ei gorff wrth glywed y llais meddal yn ei glust.

'Sefa lan. Cadwa dy ddwylo wrth dy ochor. Os gwnei di unrhyw symudiade cyflym fe saetha i di yn dy ben.'

Trodd ei ben yn araf. Safai un o'r gwarchodwyr tu ôl iddo, a dryll yn ei law. Roedd hon yn sefyllfa roedd Alecs wedi'i gweld fil o weithiau mewn ffilmiau ac ar y teledu, ond cafodd sioc o deimlo mor wahanol oedd y peth go iawn. Pistol awtomatig Browning oedd y gwn, a byddai un symudiad lleiaf o fys y gwarchodwr yn gyrru bwled i chwalu drwy'i benglog ac i'w ymennydd. Roedd cyffyrddiad y gwn yn ddigon i wneud iddo deimlo'n sâl.

Cododd ar ei draed. Roedd y gwarchodwr yn ei ugeiniau, ei wyneb yn welw ac ansicr. Doedd

175

Alecs erioed wedi'i weld o'r blaen – ond yn bwysicach fyth, doedd yntau erioed wedi gweld Alecs chwaith. Doedd o ddim wedi disgwyl taro ar fachgen. Gallai hynny fod o help.

'Pwy wyt ti?' gofynnodd. 'Beth ti'n wneud 'ma?'

'Dwi'n aros efo Mr Sayle,' meddai Alecs. Syllodd ar y dryll. 'Pam dach chi'n pwyntio hwnna ata i? Dwi ddim yn gneud dim byd o'i le.'

Swniai Alecs yn druenus. Bachgen-bach-ar-goll. Ond cafodd yr effaith roedd wedi gobeithio amdani. Petrusodd y gwarchodwr, a gollwng y gwn ychydig yn is. Yr eiliad honno dechreuodd Alecs symud. Ergyd karate glasurol arall, y tro hwn yn troi ei gorff mewn cylch a tharo'i benelin yn ochr pen y gwarchodwr, yn union o dan ei glust. Roedd bron yn sicr wedi ei daro'n anymwybodol â'r un ergyd, ond roedd yn rhaid iddo fod yn siŵr ac felly rhoddodd ergyd ben-glin iddo yn ei fan gwan. Plygodd y gwarchodwr yn ddau, ei bistol yn syrthio i'r llawr. Yn gyflym, llusgodd Alecs ei gorff yn ôl, i ffwrdd oddi wrth y canllaw. Edrychodd i lawr. Doedd neb wedi gweld yr hyn ddigwyddodd.

Ond ni fyddai'r gwarchodwr yn anymwybodol yn hir, a gwyddai Alecs fod yn rhaid iddo adael y lle – nid mynd yn ôl i fyny i olau dydd yn unig, ond gadael Antur Sayle yn gyfan gwbl. Roedd yn rhaid iddo gysylltu â Mrs Jones. Ni wyddai eto pam na sut, ond roedd yn gwybod erbyn hyn bod y peiriannau Tarandon wedi cael eu troi'n beiriannau lladd. Roedd llai na dwy awr ar bymtheg tan y lansiad yn yr Amgueddfa Wyddoniaeth. Rywsut roedd yn rhaid i Alecs rwystro'r digwyddiad hwnnw.

Rhedodd. Llithrodd y drws ym mhen draw'r coridor yn agored ac roedd mewn coridor gwyn, bwaog, a swyddfeydd heb ffenestri wedi eu hadeiladu yn yr hyn oedd, mae'n rhaid, yn ragor o siafftiau pwll Dozmary. Gwyddai na allai fynd yn ôl yr un ffordd ag y daeth. Roedd wedi blino gormod, a hyd yn oed pe bai'n gallu dilyn y ffordd drwy'r pwll, ni allai fyth nofio'n ôl am yr ail dro. Ei unig obaith oedd y drws oedd wedi ei arwain yma yn y lle cyntaf. Byddai hwnnw'n mynd ag ef at y grisiau metel ac yna i Floc Ch. Roedd ffôn yn ei stafell. Os methai â defnyddio hwnnw, gallai ddefnyddio'r Game Boy i ddarlledu neges. Ond roedd yn rhaid i MI6 wybod beth roedd o wedi'i ddarganfod.

Cyrhaeddodd ben y coridor, yna pwysodd yn ôl wrth i dri gwarchodwr ymddangos, yn cerdded gyda'i gilydd tuag at bâr o ddrysau dwbl. Wrth lwc, doedden nhw ddim wedi'i weld. Wyddai neb ei fod yno. Roedd yn mynd i fod yn iawn.

Ac yna seiniodd y larwm. Larwm Clacson yn gwneud sŵn arthio electronig ar hyd y coridorau, yn llamu allan o'r corneli, yn atseinio ym mhobman. Uwchben, dechreuodd golau fflachio'n goch. Trodd y gwarchodwyr ar eu sodlau a gweld Alecs. Yn wahanol i'r gwarchodwr ar y platfform arsylwi, wnaeth neb oedi. Wrth i Alecs daflu'i hun ymlaen drwy'r drws agosaf, cododd pob un ei ddryll peiriant a saethu. Dyrnodd bwledi i mewn i'r wal wrth ei ymyl ac adlamu ar hyd y coridor. Glaniodd Alecs ar wastad ei stumog a chicio'n ôl, gan glepian y drws ynghau y tu ôl iddo. Cododd, dod o hyd i follt a'i gyrru i'w lle. Eiliad yn ddiweddarach daeth ffrwydrad o ddyrnu ar yr ochr arall wrth i'r gwarchodwyr saethu at y drws. Ond roedd yn fetel solet. Byddai'n dal.

Roedd Alecs yn sefyll ar bont fetel a arweiniai i lawr i ddryswch o bibellau a silindrau, rhywbeth tebyg i foelerdy llong. Roedd y larwm yr un mor uchel yma ag yr oedd yn y brif siambr. Roedd fel pe bai'n dod o bobman. Neidiodd Alecs i lawr y grisiau, dair gris ar y tro, cyn stopio ar sglefr i chwilio am ffordd allan. Roedd ganddo ddewis o dri choridor, ond yna clywodd sŵn clencian traed, a gwyddai mai dewis o ddau oedd ganddo bellach. Erbyn hyn byddai'n dda

178

ganddo pe bai wedi meddwl codi'r pistol
Browning. Roedd ar ei ben ei hun a heb arf. Yr
unig hwyaden yn y stondin saethu, drylliau
ymhobman a dim ffordd allan. Ar gyfer sefyllfa
fel hyn yr oedd MI6 wedi'i hyfforddi? Os felly,
doedd un diwrnod ar ddeg ddim yn ddigon.

Rhedodd ymlaen, yn gwau i mewn ac allan o'r
pibellau, yn trio pob drws wrth gyrraedd ato.
Stafell â rhagor o siwtiau gofod yn hongian ar
fachau. Stafell gawodydd. Labordy arall, mwy, a
drws arall yn mynd allan, ac yn y canol, tanc
gwydr, siâp casgen yn llawn hylif gwyrdd.
Dryswch o diwbiau rwber yn tyfu allan o'r tanc.
Hambyrddau'n llawn o diwbiau prawf ar bob llaw.

Y tanc siâp casgen. Yr hambyrddau. Roedd
Alecs wedi eu gweld o'r blaen – fel amlinellau
aneglur ar ei Game Boy. Roedd yn rhaid mai
sefyll yr ochr draw i'r ail ddrws yr oedd bryd
hynny. Rhedodd draw ato. Roedd wedi ei gloi
o'r tu mewn, yn electronig, gan y plât-adnabod
ar y wal. Fyddai e byth yn gallu'i agor. Roedd
wedi ei ddal mewn trap.

Roedd sŵn traed yn agosáu. Cafodd Alecs
ddim ond digon o amser i guddio ar y llawr dan
un o'r byrddau gwaith cyn i'r drws cyntaf gael ei
daflu'n agored; rhedodd dau warchodwr arall i
mewn i'r labordy. Cymerodd y ddau gipolwg o

179

amgylch – heb ei weld.

'Ddim yma!' meddai un.

'Well i ti fynd lan!'

Cerddodd un gwarchodwr allan yr un ffordd ag
y cyrhaeddodd. Aeth y llall draw at yr ail ddrws a
gosod ei law ar y panel gwydr. Daeth golau
gwyrdd ymlaen a chanodd seinydd y drws yn
uchel. Taflodd y gwarchodwr y drws yn agored a
diflannu. Rholiodd Alecs ymlaen wrth i'r drws
ddechrau cau, a phrin lwyddo i roi ei law yn y
bwlch. Arhosodd am foment cyn codi ar ei draed.
Tynnodd y drws yn agored. Fel y gobeithiai,
roedd yn edrych allan ar y coridor anorffenedig
lle roedd Nadia Vole wedi dod o hyd iddo.

Roedd y gwarchodwr wedi mynd yn ei flaen.
Llithrodd Alecs allan a thynnu'r drws ar ei ôl,
gan gau sŵn y Clacson y tu ôl iddo. Dringodd y
grisiau metel ac aeth allan drwy ddrws siglo.
Roedd yn falch o'i gael ei hun yn yr awyr iach
unwaith eto. Roedd yr haul wedi machlud yn
barod, ond tu draw i'r lawnt roedd y llain lanio
wedi'i goleuo gan y math o lifoleuadau roedd
Alecs wedi'u gweld ar gaeau pêl-droed. Roedd
oddeutu dwsin o lorïau wedi'u parcio yno a
dynion yn eu llwytho â bocsys trwm, sgwâr,
coch a gwyn. Ar y llain lanio roedd awyren ar fin
cychwyn – yr awyren nwyddau roedd Alecs

wedi ei gweld pan gyrhaeddodd; rholiodd yn swnllyd ar hyd y llain a chodi'n herciog i'r awyr.

Gwyddai Alecs ei fod yn edrych ar ddiwedd y llinell gynhyrchu. Yr un rhai oedd y bocsys coch a gwyn â'r rheiny roedd wedi'u gweld yn y siambr danddaearol. Roedd y peiriannau Tarandon, ynghyd â'u cyfrinach farwol, yn cael eu llwytho a'u dosbarthu. Erbyn y bore fe fydden nhw dros y wlad i gyd.

Gan gyrcydu'n isel, rhedodd heibio'r pistyll a thros y gwair. Meddyliodd am anelu am y brif giât, ond gwyddai fod hynny'n amhosib. Fe fyddai'r gwarchodwyr wedi cael eu rhybuddio. Fe fydden nhw'n aros amdano. Ni allai chwaith ddringo dros ffens y terfyn, dim â'r weiren rasel wedi'i gosod ar ei phen. Na. Mae'n debyg mai ei stafell ei hun oedd yr ateb gorau. Yn y fan honno oedd y ffôn. Ac yno hefyd oedd ei unig arfau; y llond llaw o ddyfeisiadau roedd Smithers wedi eu rhoi iddo bedwar diwrnod – ynte pedair blynedd? – yn ôl.

Aeth i mewn i'r tŷ drwy'r gegin, yr un ffordd ag yr aeth o'r tŷ y noson cynt. Dim ond wyth o'r gloch oedd hi, ond doedd yr un creadur byw i'w weld yn unman. Rhedodd i fyny'r grisiau ac ar hyd y coridor at ei stafell ar y llawr cyntaf. Yn araf, agorodd y drws. Roedd ei lwc, mae'n debyg, yn parhau. Doedd neb yno. Heb roi'r golau ymlaen aeth i mewn a chipio'r ffôn yn ei law. Roedd y llinell yn farw. Ta waeth. Daeth o hyd i'w Game Boy, y pedair cetrisen, ei io-io a'r hufen plorod, a'u gwthio i'w bocedi. Roedd wedi penderfynu'n barod na fyddai'n aros yno. Roedd yn rhy beryglus. Byddai'n dod o hyd i rywle i guddio. Wedyn byddai'n defnyddio'r getrisen Nemesis i gysylltu ag MI6.

Aeth yn ôl at y drws a'i agor. Synnodd o weld Mr Gwên yn sefyll yn y cyntedd. Edrychai'n erchyll, â'i wyneb gwyn, ei wallt coch a'i wên borffor, gam. Ymatebodd Alecs yn gyflym, gan daro â bôn ei law dde. Ond roedd Mr Gwên yn gyflymach. Symudodd i'r ochr fel pe bai'n gwneud dawns fach, yna saethodd ei law allan, ei hochr yn gwthio yn erbyn gwddf Alecs. Brwydrodd Alecs i dynnu anadl, ond methodd. Gwnaeth y bwtler rhyw sŵn mynglyd a tharo'r eildro. Cafodd Alecs yr argraff fod y dyn, y tu ôl i'r creithiau llachar, yn gwenu go iawn, yn mwynhau'r cyfan. Ceisiodd Alecs osgoi'r ergyd, ond trawodd dwrn Mr Gwên ef yn blwmp ar ei ên. Cafodd ei daflu i mewn i'w stafell, gan syrthio ar ei gefn.

Doedd Alecs ddim hyd yn oed yn cofio ei fod wedi taro'r llawr.

BWLI'R YSGOL

Daethant i nôl Alecs y bore wedyn.

Roedd wedi treulio'r noson â'i ddwylo mewn gefynnau, yn sownd wrth wresogydd, mewn stafell dywyll ag ynddi un ffenest fach a barrau arni. Bu'r lle yn seler lo rywdro, efallai. Pan agorodd Alecs ei lygaid roedd golau llwyd y bore'n dechrau llithro i mewn. Caeodd ei lygaid a'u hailagor. Roedd ganddo gur pen ac roedd ochr ei wyneb wedi chwyddo lle roedd Mr Gwên wedi'i daro. Roedd ei freichiau wedi'u troi tu ôl iddo, a gewynnau ei ysgwyddau ar dân. Ond yn waeth na hyn i gyd oedd y teimlad ei fod wedi methu. Diwrnod cyntaf Ebrill oedd hi, y diwrnod pan fyddai'r peiriannau Tarandon yn gwneud eu gwaith. Ac ni allai Alecs wneud dim. Fo oedd y ffŵl Ebrill.

Ychydig cyn naw o'r gloch daeth dau warchodwr i mewn, a Mr Gwên tu ôl iddyn nhw. Cafodd Alecs ei ryddhau a'i godi ar ei draed. Yna, ag un gwarchodwr yn gafael bob ochr iddo, cafodd ei fartsio allan o'r stafell ac i fyny set o risiau. Roedd yn nhŷ Sayle o hyd. Arweiniai'r grisiau i'r cyntedd â'i ddarlun anferth o Ddydd y Farn. Edrychodd Alecs ar y ffigurau, yn gwingo mewn poen ar y cynfas. Os oedd o'n dyfalu'n gywir, byddai'r un ddelwedd i'w gweld dros Brydain gyfan ymhen tair awr.

Cafodd ei hanner-llusgo gan y gwarchodwyr drwy un o'r drysau ac i mewn i'r stafell lle roedd yr acwariwm. Roedd cadair bren â cefn uchel o'i flaen. Cafodd Alecs ei orfodi i eistedd arni. Unwaith eto roedd ei ddwylo mewn gefynnau y tu ôl iddo. Aeth y gwarchodwyr allan o'r stafell. Arhosodd Mr Gwên.

Clywodd sŵn traed ar y grisiau tro, a gwelodd yr esgidiau lledr yn dod i lawr cyn gweld y dyn oedd yn eu gwisgo. Yna daeth Herod Sayle i'r golwg, yn gwisgo siwt sidan llwyd golau, berffaith yr olwg. O'r cychwyn cyntaf roedd Blunt a'r bobl yn MI6 wedi bod yn amheus o'r miliwnydd sawl-gwaith-drosodd o'r Dwyrain Canol. Roeddent bob amser wedi credu bod ganddo rywbeth i'w guddio, ond doedden nhw erioed wedi dyfalu'r gwirionedd. Nid cyfaill i wlad Alecs oedd y dyn hwn. Fo oedd ei gelyn pennaf.

'Tri chwestiwn,' cyfarthodd Sayle yn swta. Roedd ei lais yn hollol oeraidd. 'Pwy wyt ti? Pwy anfonodd di 'ma? Faint wyt ti'n wybod?'

'Wn i ddim am be' dach chi'n siarad,' meddai Alecs.

Ochneidiodd Sayle. Os oedd yna rywbeth doniol wedi bod ynghylch y dyn pan welodd

Alecs ef am y tro cyntaf, roedd hynny wedi diflannu'n llwyr erbyn hyn. Roedd golwg ddiflas a phwrpasol arno. Roedd ei lygaid yn filain, yn llawn bygythiad. 'Bach iawn o amser sy 'da ni,' meddai. 'Mr Gwên … ?'

Aeth Mr Gwên draw at un o'r cypyrddau arddangos ac estynnodd gyllell allan ohono, ei min fel rasel a chanddi ddannedd. Fe'i daliodd i fyny at ei wyneb, ei lygaid yn pefrio.

'Fi wedi gweud 'thot ti'n barod bod Mr Gwên yn arfer bod yn arbenigwr 'da chyllyll,' meddai Sayle wedyn. 'Mae e'n dal i fod yn arbenigwr. Gwed wrtho i beth fi'n moyn wbod, Alecs, neu fe fydd e'n achosi mwy o loes i ti nag y gallet ti ddechre'i ddychmygu. A paid trial gweud celwydd 'tho i, plis. Cofia beth sy'n digwydd i gelwyddgwn. Yn arbennig i'w tafode.'

Daeth Mr Gwên gam yn nes. Fflachiodd y llafn, yn dal y golau.

'Alecs Rider ydi fy enw i,' meddai Alecs.

'Mab Rider?'

'Ei nai.'

'Pwy anfonodd di 'ma?'

'Yr un bobl wnaeth ei yrru o.' Doedd dim pwynt dweud celwydd. Doedd hynny ddim yn bwysig bellach. Roedd gormod ar ôl i'w golli.

'MI6?' Chwarddodd Sayle heb unrhyw

arwydd o hiwmor. 'Odyn nhw'n hala cryts peder ar ddeg oed i wneud 'u gwaith brwnt nhw nawr? Beth ddigwyddodd i'r synnwyr Prydeinig o chwarae teg?' gofynnodd, mewn acen ffug, grand. Cerddodd ymlaen ac eistedd tu ôl i'r ddesg. 'A beth am fy nhrydydd cwestiwn i, Alecs? Faint wyt ti wedi ffindo mas?'

Cododd Alecs ei ysgwyddau, yn ceisio ymddangos yn ddi-hid er mwyn cuddio'r ofn oedd yn cydio ynddo. 'Dwi'n gwybod digon,' meddai.

'Cer 'mlaen.'

Tynnodd Alecs anadl ddofn. Tu ôl iddo hwyliodd y sieffen fôr heibio'n araf, fel cwmwl gwenwynig. Gallai ei gweld o gil ei lygad. Tynnodd ar y gefynnau am ei ddwylo, yn meddwl tybed a fyddai'n bosib torri'r gadair. Daeth fflach sydyn, ac ar amrantiad roedd y gyllell a fu yn llaw Mr Gwên yn crynu yng nghefn y gadair, drwch blewyn yn unig oddi wrth ei ben. Roedd ymyl y llafn wedi crafu croen ei wddf a theimlodd ddiferyn o waed yn llithro i lawr dros ei goler.

'Ti'n cadw ni'n dishgwl,' meddai Herod Sayle.

'O'r gora. Pan oedd fy ewythr i yma mi ddechreuodd gymryd diddordeb mewn firysau. Mi holodd o amdanyn nhw yn llyfrgell Porth

Tallon. Ro'n i'n meddwl mai siarad am firysau cyfrifiadurol oedd o. Dyna oedd y peth naturiol i feddwl. Ond o'n i'n anghywir. Welis i be oeddach chi'n wneud neithiwr. Mi clywis i nhw ar y system uchelseinyddion. Parthau Diheintio a Biogyfyngiant. Roedden nhw'n siarad am ryfela biolegol. Dach chi wedi cael gafael ar ryw fath o firws go iawn. Mi ddaeth o yma mewn tiwbiau prawf, wedi'u pacio mewn bocsys arian, a dach chi wedi'u rhoi nhw i mewn yn y peiriannau Tarandon. Wn i ddim be sy'n mynd i ddigwydd nesa. Am wn i, pan fydd y cyfrifiaduron yn cael eu troi 'mlaen bydd pobl yn marw. Mewn ysgolion maen nhw, felly plant ysgol fydd yn diodda. Sy'n golygu nad ydych chi'n sant fel mae pawb yn 'i gredu, Mr Sayle. Llofrudd torfol ydych chi. *Bledi* seico fasa chi'n ei ddeud, falla.'

Curodd Herod Sayle ei ddwylo'n ysgafn. 'Ti wedi gwneud yn dda iawn, Alecs,' meddai. 'Rwy'n dy longyfarch di. Ac rwy'n teimlo dy fod ti'n haeddu gwobr. Felly rwy i am weud popeth wrthot ti. Mewn ffordd, mae'n briodol bod MI6 wedi hala crwt ysgol ata i. Oherwydd, ti'n gweld, does dim yn y byd rwy'n ei gasáu'n fwy. O ie...' Roedd ei wyneb yn gam gan ddicter, ac am eiliad gallai Alecs weld y gwallgofrwydd yn fyw yn ei lygaid. 'Chi'r *bledi* crachach, gyda'ch ysgolion snobyddlyd a'ch cred Brydeinig bwdwr eich bod chi'n well na phawb arall! Ond rwy i am ddangos i chi. Rwy i am ddangos i chi i gyd!'

Cododd, a cherdded draw at Alecs. 'Fe ddes i i'r wlad hyn ddeugen mlynedd 'nôl,' meddai. 'Heblaw am ryw ffrîc o ddamwen, mae'n debyg y bydden i wedi byw a marw yn Beirut. A bydde'n well i ti petawn i wedi gwneud hynny! Cyment gwell!

'Fe ges i'n hala 'ma gan deulu o Americanwyr, i gael addysg. Oedd ffrindie 'da nhw yng ngogledd Llunden, ac fe arhoses i 'da nhw tra o'n i'n mynd i'r ysgol leol. Allet ti ddim dychmygu sut o'n i'n teimlo bryd hynny. O'n I'n byw yn Llunden, lle'r o'n i wastod wedi credu roedd calon gwareiddiad. Gweld y fath gyfoeth, a gwybod fy mod i am fod yn rhan ohono fe! Ro'n i'n mynd i fod yn Brydeiniwr! I blentyn oedd wedi'i eni yn y gwter yng ngwlad Libanus, roedd hynny'n freuddwyd amhosib.

'Ond fe gefes i 'nghyflwyno i'r byd real yn ddigon clou ...' Pwysodd Sayle ymlaen a chipio'r gyllell o'r gadair. Taflodd hi at Mr Gwên; daliodd hwnnw hi a'i throelli yn ei law.

'O'r eiliad y cyrhaeddes i'r ysgol, fe gefes i 'ngwawdio a 'mwlio. O achos fy nhaldra. O achos lliw fy nghroen. Achos nad o'n i'n siarad cystel â nhw. Achos nad o'n i'n un ohonyn nhw. Oedd enwe 'da nhw amdano i. Herod Sâl. Crwt-gafr. Y Corrach. Ac fe fydden nhw'n whare tricie arna i. Pinne bawd ar fy nghader. Llyfre wedi'u dwgyd a'u trochi. Fy nhrwser i wedi'i rwygo oddi arna i a'i hongian ar y polyn fflag, o dan Jac yr Undeb.' Ysgydwodd Sayle ei ben yn araf. 'Ro'n i'n caru'r faner 'na pan ddes i 'ma gynta,' meddai. 'Ond o fewn wthnose fe ddes i i'w chasáu hi.'

'Mae 'na lawar o bobl yn cael 'u bwlio yn 'rysgol –' dechreuodd Alecs – a stopiodd wrth i Sayle ei daro'n giaidd â chefn ei law ar draws ei wyneb.

'Smo fi 'di cwpla,' meddai. Roedd yn anadlu'n drwm ac roedd poer ar ei wefus isaf. Gallai Alecs ei weld yn ail-fyw y gorffennol. Ac unwaith eto roedd yn gadael i'r gorffennol ei ddinistrio.

'Roedd digon o fwlis yn yr ysgol,' meddai. 'Ond roedd 'na un oedd yn waeth na'r un ohonyn nhw. Llipryn bychan, sebonllyd oedd e, ond roedd ei rieni e'n gyfoethog, ac roedd e'n gallu trin y plant erill. Roedd e'n gwybod shwd i'w perswado nhw … roedd e'n wleidydd hyd yn oed bryd 'nny. Fe alle fe fod yn ddymunol dros ben pan oedd e'n moyn. Pan oedd athrawon biti'r lle. Ond yr eiliad oedden nhw mas o'r golwg, fydde fe ar 'y nghefen i. Fe oedd yn trefnu'r lleill. *Dewch i ni gael y crwtyn gafr. Dewch i ni ddodi'i ben e lawr y pan.* Roedd cant a mil o syniade 'da fe shwd i wneud 'yn fywyd i'n uffern, a fydde fe byth yn stopo dyfeiso rhagor. Ar hyd yr amser fe fydde fe'n fy ngwawdo i ac yn tynnu arna i a doedd dim allwn i'i wneud achos roedd e'n boblogedd a finne'n estron. A ti'n gwbod pwy 'nath y crwt 'na dyfu lan i fod?'

'Dwi'n meddwl bo' chi am ddeud wrtha i p'un bynnag,' meddai Alecs.

'Fi *am* weud 'thot ti. Odw. Fe dyfodd e lan i fod y *bledi* Prif Weinidog!'

Estynnodd Sayle hances sidan wen o'i boood a sychu ei wyneb. Roedd ei ben moel yn disgleirio o chwys. 'Ar hyd 'yn fywyd, fi wedi cael 'y nhrin 'run fath,' ychwanegodd. 'Waeth faint fi wedi llwyddo, waeth faint o arian rwy i wedi'i wneud, waeth faint o bobol rwy i wedi'u cyflogi, jôc odw i o hyd. Herod Sâl, y crwt-gafr, trempyn Libanus. Wel, am ddeugen mlynedd fi wedi bod yn cynllunio shwd i ddial. A nawr, o'r diwedd, mae f'amser i wedi dod. Mr Gwên …'

Aeth Mr Gwên draw at y wal a phwyso botwm. Roedd Alecs yn hanner disgwyl i'r bwrdd snwcer godi allan o'r llawr, ond yn lle hynny llithrodd panel i fyny ar bob wal i ddatgelu sgriniau teledu llawr-i-nenfwd; goleuodd pob un yn syth. Ar un sgrin gallai Alecs weld y labordy tanddaearol, ar un arall y llinell gynhyrchu, ar drydedd y llain lanio â'r olaf o'r lorïau ar ei ffordd allan. Roedd camerâu teledu cylch-cyfyng ymhobman, a gallai Sayle weld i bob twll a chornel o'i deyrnas heb adael y stafell. Dim rhyfedd eu bod nhw wedi dod o hyd i Alecs mor hawdd.

'Mae'r peiriannau Tarandon yn arfog ac yn barod. Ac ie, ti'n iawn, Alecs. Mae pob un yn cynnwys beth allet ti 'i alw'n firws cyfrifiadurol. Ond dyna, os ti'n moyn, yw'n jôc Ffŵl Ebrill fach i. Achos mae'r firws 'wy i'n sôn ambiti fe'n ffurf ar y frech wen. Wrth gwrs, Alecs, mae e wedi cael ei addasu'n enetegol i'w wneud e'n glouach a chryfach ... yn fwy marwol. Fe fydde llwyed o'r stwff yn ddigon i strwyo dinas gyfan. Ac mae'r peiriannau Tarandon yn dala llawer, llawer mwy na 'nny.

'Ar y foment mae fe wedi'i ynysu, yn hollol ddiogel. Ond pnawn heddi, mae 'na barti bach yn mynd i fod yn yr Amgueddfa Wyddonieth. Bydd pob ysgol trwy Bryden yn ymuno, a'r plant ysgol yn ymgasglu o amgylch eu cyfrifiaduron newydd, sgleiniog. Ac ar ganol dydd, ar drawiad deuddeg, fe fydd fy hen gyfell y Prif Weinidog yn traddodi un o'i areithie hunangyfiawn, hunanlesol, ac yna fe fydd e'n pwyso botwm. Mae e'n credu taw bywhau'r cyfrifiaduron fydd e, ac miwn ffordd mae e'n iawn. Fe fydd pwyso'r botwm yn rhyddhau'r firws; erbyn hanner nos heno fydd dim plant ysgol ym Mhryden rhagor, ac fe fydd y Prif Weinidog yn llefen wrth iddo gofio'r diwrnod nath e ddechre bwlian Herod Sayle!'

'Dach chi'm yn gall!' ebychodd Alecs. 'Erbyn hannar nos heno mi fyddwch chi'n y carchar.'

Anwybyddodd Sayle y syniad ag ystum llaw. 'Sai'n credu. Erbyn i unrhyw un sylweddoli beth sy wedi digwydd, fe fydda i wedi diflannu. Smo fi ar ben 'yn hunan yn hyn, Alecs. Mae 'da fi ffrindie pwerus sy wedi bod yn gefen i mi –'

'Yassen Gregorovitch.'

'Ti *wedi* bod yn fishi!' Roedd i'w weld yn synnu bod Alecs yn gwybod yr enw. 'Mae Yassen yn gwitho i'r bobol sy wedi bod yn fy helpu i. Dewch i ni bido sôn am enwe pobol na hyd yn oed gwledydd. Fe synnet ti sawl gwlad dros y byd sy'n casáu Pryden. Y rhan fwyaf o Ewrop, dim ond i ddachre. Ond ta p'un 'nny ...' Curodd ei ddwylo ac aeth yn ôl at ei ddesg. 'Nawr ti'n gwybod y gwir. Fi'n falch 'mod i wedi gallu gweud 'thot ti, Alecs. 'Sdim clem 'da ti cyment fi'n dy gasáu di. Hyd yn oed pan oeddet ti'n whare'r gêm ddwl 'na 'da fi, y snwcer. Ro'n i'n meddwl cyment o bleser gelen i o dy ladd di. Ti'n gwmws fel y bechgyn o'n i 'da nhw yn yr ysgol. 'Sdim wedi newid.'

'Chi sy heb newid,' meddai Alecs. Roedd ei foch yn dal yn boenus lle roedd Sayle wedi'i daro. Ond roedd wedi clywed digon. 'Mae'n ddrwg gen i 'ych bod chi wedi cael eich bwlio yn 'rysgol,' meddai. 'Ond mae 'na lwythi o blant yn cael 'u bwlio a dydyn nhw ddim yn troi allan yn nytars. Dach chi'n wirioneddol *sad*, Mr Sayle. A neith eich cynllun chi ddim llwyddo. Dwi 'di deud pob dim dwi'n wybod wrth MI6. Mi fyddan nhw yna'n disgwyl amdanoch chi yn yr Amgueddfa Wyddoniaeth. Heb sôn am y dynion yn y cotia gwyn.'

Giglodd Sayle. 'Maddeua i mi os nad ydw i'n dy gredu di,' meddai. Yn sydyn, roedd ei wyneb fel carreg. 'A falle dy fod ti'n anghofio 'mod i wedi dy rybuddio di biti gweud celwydd wrtha i.'

Cymerodd Mr Gwên un cam ymlaen, gan droi'r gyllell drosodd yn gyflym fel bod y llafn yn glanio ar gledr ei law.

'Fe hoffen i dy weld yn marw,' meddai Sayle. 'Yn anffodus mae 'da fi ymrwymiad pwysig yn Llunden.' Trodd at Mr Gwên. 'Cei di gerdded gyda fi at yr hofrennydd. Wedi 'nny der' 'nôl 'ma a lladda'r crwt. Gwna fe'n araf. Gwna fe'n boenus. Fe ddylsen ni fod wedi dala peth o'r frech wen yn ôl ar ei gyfer e – ond fi'n sicr y gwnei di feddwl am rywbeth llawer mwy creadigol.'

Cerddodd at y drws, yna stopiodd a throi at Alecs. 'Nagodd hi'n bleser d'adnabod di. Ond mwynha dy farwoleth. A chofia, dim ond y cynta fyddi di ...'

Caeodd y drws. Wedi ei glymu i'r gadair, ei ddwylo mewn gefynnau, â'r slefren fôr yn nofio'n dawel y tu ôl iddo, roedd Alecs ar ei ben ei hun.

DYFROEDD DYFNION

Rhoddodd Alecs y gorau i geisio torri'n rhydd o'r gadair. Roedd ei arddyrnau wedi gwaedu a chleisio lle roedd y gadwyn wedi torri i mewn iddo, ac roedd y gefynnau'n rhy dynn. Ar ôl hanner awr, â Mr Gwên yn dal heb ddod yn ei ôl, roedd Alecs wedi trio cyrraedd yr eli plorod roedd Mr Smithers wedi ei roi iddo. Gwyddai y byddai'r eli'n torri drwy'r gefynnau mewn eiliadau, a'r peth gwaethaf oedd ei fod yn gallu teimlo'r tiwb eli ym mhoced sip allanol ei drowsus combat. Ond er iddo allu estyn ei fysedd hyd at gentimetr neu ddau oddi wrtho, ni allai yn ei fyw â'i gyrraedd. Roedd yn ddigon i'w yrru'n wallgof.

Roedd wedi clywed sŵn hofrennydd yn gadael, a gwyddai fod Herod Sayle ar ei ffordd i Lundain. Roedd pen Alecs yn dal i droi ar ôl yr hyn a glywodd. Roedd y lluosfiliwnydd yn hollol wallgof, a'r hyn roedd yn ei gynllunio'n amhosib ei gredu – llofruddio torfol a fyddai'n dinistrio Prydain am genedlaethau. Ceisiodd Alecs ddychmygu beth oedd ar fin digwydd. Byddai degau o filoedd o blant ysgol yn eistedd yn eu dosbarthiadau, wedi casglu o amgylch eu peiriannau Tarandon newydd yn aros am y foment – hanner dydd yn union – pan fyddai'r

Prif Weinidog yn pwyso'r botwm a dod â'r cyfan ohonyn nhw ar-lein. Ond yn lle hynny byddai sŵn hisian a chwmwl bach o anwedd marwol y frech wen yn cael ei ollwng i'r stafell orlawn. Ac ymhen munudau wedyn, ar draws y wlad, byddai'r marwolaethau'n dechrau. Roedd yn rhaid i Alecs gau ei feddwl i'r syniad. Roedd yn rhy erchyll. Ac eto, byddai'n digwydd ymhen ychydig oriau. Doedd neb arall allai rwystro'r peth. A dyma lle roedd o, wedi ei glymu'n sownd, yn methu symud 'run centimetr.

Agorwyd y drws. Trodd Alecs, gan ddisgwyl gweld Mr Gwên, ond Nadia Vole ddaeth i mewn yn trysiog, gan gau'r drws y tu ôl iddi. Roedd gwrid ar ei hwyneb crwn, gwelw, a'r tu ôl i'w sbectol roedd ofn yn ei llygaid. Daeth draw ato.

'Alecs!'

'Be dach chi isio?' Pwysodd Alecs yn ôl oddi wrthi, wrth iddi wyro drosto. Yna clywodd glic, ac er syndod iddo, daeth ei ddwylo'n rhydd. Roedd hi wedi datgloi'r gefynnau! Cododd Alecs, heb ddeall beth oedd yn digwydd.

'Alecs, gwranda arna i,' meddai Vole. Llithrai'r geiriau'n gyflym ac yn dawel o'i gwefusau minlliw-melyn. 'Does dim llawer o amser 'da ni. Yma i dy helpu di odw i. Fi wedi gwitho gyda dy ewythr – Herr Ian Rider.' Syllodd Alecs arni'n

196

syn. 'Ie. Rwy i ar yr un ochr â ti.'

'Ond ddwedodd neb wrtha i –'

'Roedd yn well i ti beidio â gwybod.'

'Ond …' Roedd Alecs yn ddryslyd. 'Mi welis i chi efo'r llong danfor. Roeddach chi'n gwbod be oedd Sayle yn 'i wneud …'

'Doedd dim y gallwn i ei wneud. Dim bryd hynny. Mae'n rhy gymhleth i egluro. Does gyda ni ddim amser i ddadle. Rwyt ti'n moyn ei stopo fe – nagwyt ti?'

'Rhaid i mi gael gafael ar ffôn.'

'Mae cod 'da pob ffôn yn y tŷ. Elli di mo'u defnyddio nhw. Ond mae 'da fi ffôn symudol yn fy swyddfa.'

'Awn ni, 'ta.'

Roedd Alecs yn dal i deimlo'n llawn amheuaeth. Os oedd Nadia Vole wedi gwybod cymaint, pam nad oedd hi wedi trio stopio Sayle cyn hyn? Ar y llaw arall, roedd hi wedi ei ryddhau – ac fe fyddai Mr Gwên yn ei ôl unrhyw funud. Doedd ganddo ddim dewis ond ymddiried ynddi. Dilynodd hi allan o'r stafell, heibio'r gornel ac i fyny'r grisiau i landin lle roedd cerflun o ferch noeth, rhyw dduwies Roegaidd, yn y gornel. Arhosodd Vole am eiliad, gan bwyso'i llaw ar fraich y cerflun.

'Be sy'n bod?' gofynnodd Alecs.

'Rwy'n teimlo'n benysgafn. Dos di ymlaen. Y drws cyntaf ar y chwith yw e.'

Aeth Alecs heibio iddi ac ymlaen ar hyd y landin. O gil ei lygad gwelodd hi'n pwyso braich y cerflun i lawr. Symudodd y fraich … lifer oedd hi. Erbyn iddo sylweddoli ei fod wedi'i dwyllo, roedd hi'n rhy hwyr. Gwaeddodd wrth i'r llawr o dano droi ar bifod cudd. Ceisiodd osgoi syrthio, ond doedd dim y gallai ei wneud. Syrthiodd yn glep ar ei gefn a llithro i lawr, drwy'r llawr ac i mewn i dwnnel plastig du oedd yn troelli oddi tano. Wrth iddo lithro, clywodd Nadia Vole yn chwerthin yn fuddugoliaethus – ac yna roedd wedi mynd, yn chwilio'n wyllt am rywbeth i afael ynddo ar ochrau'r twnnel, yn ceisio dyfalu beth fyddai'n aros amdano ar ddiwedd y plastig du.

Bum eiliad yn ddiweddarach cafodd wybod. Poerwyd ef allan o geg y twnnel troellog. Syrthiodd am eiliad drwy'r awyr a glanio â sblash mewn dŵr oer. Am foment roedd yn ddall, yn ymladd am ei anadl. Yna cododd i'r wyneb a gweld ei fod mewn tanc gwydr anferth yn llawn dŵr a chreigiau. Dyna pryd y sylweddolodd, mewn arswyd, ble'n union yr oedd wedi glanio.

Roedd Vole wedi ei ollwng i'r tanc gyda'r slefren fôr anferth: Physalia Herod Sayle. Roedd yn wyrth nad oedd wedi taro'n syth yn ei herbyn. Gallai ei gweld yng nghornel bellaf y tanc, ei thentaclau erchyll a'i channoedd o gelloedd pigo, yn troi a throsi yn y dŵr. Doedd dim byd rhyngddo ef a hi. Brwydrodd Alecs yn erbyn ei ofn, gan orfodi'i hun i aros yn llonydd. Sylweddolodd y byddai cynhyrfu'r dyfroedd ond yn creu'r cerrynt fyddai'n denu'r creadur draw ato. Doedd gan y slefren ddim llygaid. Wyddai hi ddim ei fod yno. Fyddai hi ddim … allai hi ddim … ymosod.

Ond yn y diwedd byddai'n ei gyrraedd. Roedd y tanc yn anferth, o leiaf ddeg metr o ddyfnder a dau neu dri deg metr o hyd. Roedd y gwydr yn codi uwch lefel y dŵr, ymhell tu hwnt i'w gyrraedd. Roedd yn amhosib iddo ddringo allan. Wrth iddo edrych i lawr drwy'r dŵr, gallai weld golau. Sylweddolodd ei fod yn edrych i mewn i'r stafell yr oedd newydd ei gadael, swyddfa breifat Herod Sayle. Gwelodd symudiad – roedd popeth yn niwlog ac yn gam drwy'r dŵr symudol – ac agorodd y drws. Cerddodd dau ffigwr i mewn. Prin y gallai Alecs eu hadnabod, ond gwyddai pwy oeddynt. Fräulein Vole a Mr Gwên. Safodd y ddau gyda'i gilydd o flaen y tanc. Roedd gan Vole rywbeth tebyg i ffôn symudol yn ei llaw.

'Gobeithio dy fod yn gallu fy nghlywed i, Alecs.' Seiniodd llais yr Almaenes o uchelseinydd rywle uwch ei ben. 'Rwy'n sicr y byddi erbyn hyn wedi gweld nad oes ffordd mas o'r tanc. Fe elli droedio'r dŵr. Falle am un awr, falle am ddwy. Mae rhai eraill wedi para yn hirach. Beth yw'r record, Mr Gwên?'

'Uff chaarrch!'

'Pum awr a hanner. Ie. Ond cyn hir fe fyddi'n blino, Alecs. Fe fyddi di'n boddi. Neu efallai y byddi'n marw'n gyflym ac yn llithro i mewn i gofleidiad ein cyfaill. Rwyt ti'n ei gweld … na? Cofleidiad na fydde rhywun yn ei ddymuno. Fe wnaiff dy ladd. Bydd y boen, rwy'n credu, y tu hwnt i ddychymyg plentyn. Trueni, Alecs Rider, bod MI6 wedi dewis dy anfon di yma. Fyddan nhw ddim yn dy weld di eto.'

Tawelodd y llais â chlic. Ciciodd Alecs yn y dŵr, gan gadw'i ben uwch yr wyneb, heb dynnu'i lygaid oddi ar y slefren fôr. Daeth symudiad aneglur arall o'r ochr draw i'r gwydr. Roedd Mr Gwên wedi gadael y stafell. Ond roedd Vole wedi aros ar ôl. Roedd hi am ei wylio'n marw.

Edrychodd Alecs i fyny. Roedd y golau uwchben y tanc yn dod o gyfres o lampau stribed neon, ond roeddynt yn rhy uchel i'w cyrraedd. Oddi tano clywodd glic a sŵn grwnan tawel. Bron ar unwaith synhwyrodd fod rhywbeth wedi newid. Roedd y slefren yn symud! Gallai weld y côn tryloyw, â'i flaen porffor tywyll, yn anelu amdano. Dawnsiai'r tentaclau'n araf o dan y creadur.

Llyncodd gegiad o ddŵr a sylweddolodd ei fod wedi agor ei geg i weiddi. Roedd Vole, mae'n rhaid, wedi troi'r llifeiriant artiffisial ymlaen. Dyna oedd yn gwneud i'r slefren symud. Ciciodd yn wyllt â'i draed, gan symud oddi wrthi, yn llithro drwy'r dŵr ar ei gefn. Nofiodd un tentacl i fyny a lapio'i hun dros ei droed. Oni bai ei fod yn gwisgo trenyrs, byddai wedi cael ei bigo. Oedd y celloedd pigo'n gallu cyrraedd trwy ei ddillad? Oedden, bron yn sicr. Dim ond ei drenyrs oedd ganddo i'w ddiogelu.

Cyrhaeddodd gornel gefn yr acwariwm ac oedodd yno, un llaw ar y gwydr. Gwyddai'n barod fod yr hyn a ddywedodd Vole yn wir. Os na fyddai'r slefren yn ei ladd, yna byddai ei flinder yn gwneud hynny. Roedd yn gorfod ymladd bob eiliad i beidio â suddo, ac roedd yr ofn yn ei wanhau.

Y gwydr. Gwthiodd yn ei erbyn, gan feddwl tybed a fedrai ei dorri. Efallai bod yna ffordd ... Mesurodd y pellter rhyngddo'i hun a'r slefren, anadlodd yn ddwfn a phlymio i lawr i waelod y tanc. Gallai weld Nadia Vole yn gwylio. Er ei bod hi'n aneglur iddo, byddai hi'n gallu'i weld yn glir fel grisial. Arhosodd hi heb symud, a sylweddolodd Alecs mewn anobaith mai dyma'r union beth roedd hi'n disgwyl iddo'i wneud.

Nofiodd at y creigiau a chwilio am garreg ddigon bach i'w chario i fyny i'r wyneb. Daeth o hyd i un tua'r un maint â'i ben, ond methodd â'i symud. Doedd Vole ddim wedi ceisio'i rwystro am ei bod yn gwybod bod y cerrig i gyd wedi'u gosod mewn concrid. Roedd Alecs yn mynd yn brin o anadl. Trodd, a gwthio tua'r wyneb, heb weld tan yr eiliad olaf fod y slefren rywsut wedi crwydro uwchlaw iddo. Sgrechiodd, swigod aer yn ffrwydro o'i geg. Roedd y tentaclau'n union uwch ei ben. Ystumiodd Alecs ei gorff a llwyddodd i aros i lawr, gan chwipio'i goesau'n wyllt i'w yrru i'r ochr. Trawodd y graig agosaf yn galed â'i ysgwydd, a theimlodd y boen yn ffrwydro drwyddo. Gafaelodd yn ei fraich â'i law arall a nofio wysg ei gefn i gornel arall, yna i fyny; torrodd ei ben drwy wyneb y dŵr a llowciodd yr aer yn awchus.

Ni allai dorri'r gwydr. Ni allai ddringo allan. Ni allai osgoi cyffyrddiad y slefren am byth. Er bod ganddo'r holl ddyfeisiau a roddodd Smithers iddo, ni allai'r un ohonynt ei helpu.

Ac yna cofiodd Alecs am yr eli. Tynnodd ei law oddi ar ei fraich a rhedodd ei fys ar hyd ochr yr acwariwm. Roedd y tanc yn beirianwaith rhyfeddol.

Ni allai Alecs ddyfalu faint oedd pwysedd y dŵr ar y platiau gwydr anferth, ond roedd y cyfan yn cael ei ddal wrth ei gilydd gan fframwaith o ddistiau haearn a oedd yn ffitio am y corneli y tu mewn a'r tu allan i'r gwydr, yr wynebau metel yn cael eu dal at ei gilydd gan hoelion deuben.

Gan droedio'r dŵr, agorodd sip ei boced ac estynnodd y tiwb. PLÔR-LÂN, AM GROEN IACH. Pe bai Nadia Vole yn gallu gweld beth oedd yn ei wneud, byddai'n meddwl ei fod wedi gwallgofi. Roedd y slefren yn drifftio'n ôl at gefn yr acwariwm. Arhosodd Alecs am rai eiliadau, yna nofiodd ymlaen a phlymio am yr ail dro.

Doedd yr eli ddim i'w weld yn ddigon, o ystyried trwch y distiau a maint y tanc, ond cofiodd Alecs yr arddangosiad a gafodd gan Smithers, a chyn lleied roedd o wedi'i ddefnyddio. A fyddai'r eli'n gweithio dan y dŵr hyd yn oed? Doedd dim pwrpas pryderu am hynny erbyn hyn. Daliodd Alecs y tiwb yn erbyn y corneli metel ym mlaen y tanc a gwnaeth ei orau i wasgu llinell hir o eli yr holl ffordd i lawr y metel, gan ddefnyddio'i law arall i'w rwbio i mewn o amgylch yr hoelion deuben.

Ciciodd ei draed, gan ei yrru'i hun i'r ochr draw. Ni wyddai faint o amser fyddai ganddo cyn i'r eli gael effaith, a ph'un bynnag, roedd Nadia

Vole yn synhwyro'n barod fod rhywbeth o'i le. Gwelodd Alecs ei bod wedi codi eto ac yn siarad i mewn i ffôn, efallai'n galw am help.

Roedd wedi defnyddio hanner y tiwb ar un ochr i'r tanc. Defnyddiodd yr ail hanner ar y llall. Roedd y slefren yn hofran uwch ei ben, ei thentaclau'n ymestyn fel pe baent am gydio ynddo a'i rwystro. Am ba hyd oedd o wedi bod o dan y dŵr? Roedd ei galon yn dyrnu. A beth ddigwyddai pan fyddai'r metel yn torri?

Cafodd ddigon o amser, a dim mwy, i ddod i'r wyneb a thynnu anadl cyn cael ei ateb.

Hyd yn oed o dan y dŵr, roedd yr eli wedi llosgi drwy'r hoelion deuben ar y tu mewn i'r tanc. Gwahanodd y gwydr oddi wrth y distiau haearn, a chan nad oedd dim i'w ddal yn ôl roedd pwysedd anferthol y dŵr wedi ei hyrddio'n agored fel drws a gipiwyd gan y gwynt. Welodd Alecs ddim beth ddigwyddodd. Chafodd o ddim amser i feddwl. Chwyrlïodd y byd o'i amgylch a chafodd ei daflu ymlaen fel corcyn mewn rhaeadr. Roedd yr eiliadau nesaf yn hunllef droellog o ddŵr a gwydr yn ffrwydro. Feiddiai Alecs ddim agor ei lygaid. Cafodd ei daflu ymlaen, ei hyrddio yn erbyn rhywbeth, yna ei sugno'n ôl. Teimlai'n sicr ei fod wedi torri pob asgwrn yn ei gorff. Yna roedd o dan y dŵr. Brwydrodd i anadlu. Torrodd ei ben drwy wyneb y dŵr, ond pan agorodd ei geg o'r diwedd synnodd wrth sylweddoli ei fod yn gallu anadlu.

Roedd blaen y tanc wedi chwythu allan, a miloedd o litrau o ddŵr wedi tywallt i swyddfa Herod Sayle. Roedd y dŵr wedi malu'r dodrefn a chwalu'r ffenestri. Roedd yn dal i wagio i lawr trwy'r llawr. Wedi ei gleisio ac yn teimlo'n ddryslyd, cododd Alecs, a'r dŵr yn dal i droelli o amgylch ei fferau.

Ble roedd y slefren?

Roedd yn ffodus na chafodd y ddau ohonynt eu taflu yn erbyn ei gilydd yn ffrwydrad sydyn y dŵr. Ond gallai fod yn agos o hyd. Gallai fod digon o ddŵr yn swyddfa Sayle o hyd iddi allu'i gyrraedd. Ciliodd Alecs i gornel o'r stafell, ei gorff yn tynhau. Yna gwelodd hi.

Bu Nadia Vole yn llai ffodus. Roedd hi'n sefyll o flaen y gwydr pan dorrodd y distiau ac wedi methu symud o'r ffordd mewn pryd. Gorweddai ar ei chefn, ei choesau'n llipa, wedi'u torri. Roedd y Physalia yn ei gorchuddio. Roedd rhan ohoni'n eistedd ar ei hwyneb ac edrychai fel pe bai'n syllu arno drwy'r trwch o jeli aflonydd. Roedd ei gwefusau melyn wedi'u lledu mewn sgrech ddiddiwedd. Lapiai'r tentaclau amdani, ac roedd cannoedd o gelloedd pigo yn glynu wrth ei breichiau, ei choesau a'i brest. Gan deimlo'n sâl, aeth Alecs wysg ei gefn tua'r drws a baglu allan i'r coridor.

Roedd larwm wedi dechrau seinio. Dim ond nawr, wrth iddo gael ei olwg a'i glyw'n ôl yn llwyr, y gallai Alecs ei glywed. Cafodd ei ysgwyd o'i ddryswch meddwl gan sgrech y seiren. Faint o'r gloch oedd hi? Bron yn un ar ddeg. O leiaf roedd ei oriawr yn dal i weithio. Ond roedd o yng Nghernyw – taith bum awr o leiaf o Lundain, a rhwng y larymau'n seinio, y gwarchodwyr arfog a'r weiren rasel, doedd dim gobaith iddo ddianc o'r safle. Dod o hyd i ffôn? Na. Mae'n debyg fod Vole yn dweud y gwir pan ddywedodd fod pob ffôn wedi'i flocio. A ph'un bynnag, pa obaith oedd ganddo o gysylltu ag Alan Blunt neu Mrs Jones mor hwyr â hyn? Erbyn hyn byddent yn yr Amgueddfa Wyddoniaeth.

Dim ond un awr ar ôl.

Tu allan, dros ddwndwr y larwm, clywodd Alecs sŵn arall. Tagu a rhuo propelor. Cerddodd at y ffenest agosaf ac edrych allan. Roedd yr awyren nwyddau a welodd yno pan gyrhaeddodd yn paratoi i hedfan.

Roedd Alecs yn wlyb at ei groen, yn gleisiau byw ac wedi blino'n lân. Ond gwyddai beth oedd raid iddo ei wneud.

Trodd ar ei sawdl a dechrau rhedeg.

UN AR DDEG O'R GLOCH

Rhuthrodd Alecs allan o'r tŷ a sefyll yn yr awyr iach, gan asesu'r hyn oedd yn digwydd o'i amgylch. Roedd yn ymwybodol o larymau'n seinio, gwarchodwyr yn rhedeg tuag ato a dau gar, yn weddol bell oddi wrtho, yn tarannu ar hyd y prif lwybr, ar eu ffordd i'r tŷ. Gobeithai, er ei bod yn amlwg bod rhywbeth o'i le, na fyddai neb yn gwybod eto beth yn union oedd y sefyllfa. Ddylen nhw ddim fod yn chwilio amdano – o leiaf ddim mor fuan. Fe allai hynny fod o fantais iddo.

Edrychai'n debyg ei fod yn rhy hwyr yn barod. Roedd hofrennydd preifat Sayle wedi mynd. Dim ond yr awyren nwyddau oedd ar ôl. Os oedd Alecs yn mynd i gyrraedd yr Amgueddfa Wyddoniaeth yn y pum deg naw munud oedd ganddo ar ôl, byddai'n rhaid iddo fod ar yr awyren honno. Ond roedd yr awyren nwyddau'n symud yn barod, yn rholio'n araf i ffwrdd o'i phlociau. Ymhen munud neu ddau byddai'n mynd trwy'r gyfres o brofion cyn-hedfan. Yna byddai'n codi.

Trodd Alecs a gweld Jeep to-agored milwrol wedi ei barcio ar y llwybr ger y brif fynedfa. Roedd gwarchodwr yn sefyll wrth ei ymyl, sigarét yn disgyn o'i law, yn edrych o'i gwmpas i weld beth oedd yn digwydd – ond yn edrych y ffordd anghywir. Rhedodd Alecs ar draws y graean. Roedd wedi dod ag arf o'r tŷ. Roedd un o ddrylliau harpŵn Sayle wedi nofio heibio iddo wrth iddo adael y stafell, ac roedd wedi'i gipio yn ei law, yn benderfynol o gael rhywbeth y gallai ei ddefnyddio i'w amddiffyn ei hun o'r diwedd. Byddai wedi bod yn ddigon hawdd saethu'r gwarchodwr yn y fan a'r lle. Harpŵn yn ei gefn, a byddai'r Jeep ganddo. Ond gwyddai Alecs na allai wneud hynny. Beth bynnag oedd Alan Blunt ac MI6 eisiau iddo fod, doedd o ddim yn barod i saethu mewn gwaed oer. Nid er mwyn ei wlad. Nid er mwyn achub ei fywyd ei hun hyd yn oed.

Cododd y gwarchodwr ei ben wrth i Alecs nesáu, ac ymbalfalu am y dryll mewn holster ar ei wregys. Methodd â'i gyrraedd mewn pryd. Defnyddiodd Alecs waelod y dryll harpŵn, ei droi'n gyflym a tharo'n dyn yn galed dan ei ên. Syrthiodd y gwarchodwr yn swp, gan ollwng y dryll o'i law. Cydiodd Alecs ynddo a neidio i mewn i'r Jeep, yn diolch wrth weld fod yr allweddi yn y clo. Trodd yr allweddi a chlywodd Alecs yr injan yn tanio. Gwyddai sut i yrru. Dyna beth arall roedd Ian Rider wedi gofalu ei fod yn ei ddysgu cyn gynted ag oedd ei goesau'n ddigon hir i gyrraedd y pedalau. Roedd y ceir eraill yn dod yn agosach. Mae'n rhaid eu bod wedi ei weld yn llorio'r gwarchodwr. Roedd yr awyren wedi troi ei phen ac yn rholio'n araf tua dechrau'r llain lanio.

Doedd o ddim yn mynd i'w chyrraedd mewn pryd.

Fallai mai'r peryg yn cau amdano o bob ochr oedd yn miniogi ei synhwyrau. Fallai mai dianc o drwch blewyn o gynifer o beryglon o'r blaen oedd yr achos. Ond fu dim rhaid i Alecs feddwl hyd yn oed. Gwyddai beth i'w wneud fel pe bai wedi'i wneud ddengwaith o'r blaen. A fallai fod yr hyfforddiant wedi bod yn fwy effeithiol nag a feddyliodd.

Aeth i'w boced ac estyn yr io-io a gafodd gan Smithers. Roedd stydsen ar ei wregys; clepiodd yr io-io yn ei herbyn a theimlodd hi'n clician i'w lle, fel roedd wedi'i chynllunio i'w wneud. Yna, mor gyflym ag y gallai, clymodd Alecs ben y llinyn neilon o gwmpas bollt yr harpŵn. Yn olaf, gwthiodd y pistol a gymerodd oddi ar y gwarchodwr yng nghefn ei gombats. Roedd yn barod.

Roedd yr awyren wedi cwblhau ei phrofion cyn-hedfan. Wynebai i lawr y llain lanio a'i phropelors yn troi ar eu cyflymder uchaf.

Trawodd Alecs y Jeep i'r gêr cyntaf a sbarduno ymlaen, gan saethu dros y llwybr ac ar y gwair gan anelu am y rhedfa. Yr un pryd daeth clebran saethu o ddryll peiriant. Haliodd ar y llyw a throi i'r ochr wrth i'r drych ochr ffrwydro ac wrth i gawod o fwledi ddyrnu'r ffenest flaen a'r drws. Roedd y ddau gar yn dod yn nes ac yn nes, yn taranu'n syth amdano. Roedd gwarchodwr yn y sedd gefn ymhob un o'r ddau gar, yn gwyro allan o'r ffenest ac yn tanio ato. Trodd Alecs y llyw'n sydyn i fynd rhyngddynt, ac am eiliad arswydus roedd un car bob ochr iddo. Roedd fel y darn cig mewn brechdan rhwng y ddau gar, a'r gwarchodwyr yn saethu ato o'r chwith a'r dde. Ond yna roedd trwodd. Methodd y gwarchodwyr â'i saethu, ond yn hytrach daethant i wrthdrawiad â'i gilydd. Clywodd un yn gweiddi a gollwng ei ddryll. Collodd un o'r gyrwyr reolaeth dros ei gar a tharo'n erbyn blaen y tŷ, y gwaith metel yn sigo yn erbyn y briciau. Stopiodd y llall â sgrech, bagio a chychwyn ar ei ôl unwaith eto.

Roedd yr awyren wedi dechrau symud ar hyd y llain lanio – yn araf i gychwyn, yna'n cyflymu'n sydyn. Cyrhaeddodd Alecs y tarmac a'i dilyn.

Roedd yn pwyso'i droed i lawr, y sbardun yn erbyn y llawr. Roedd cyflymder y Jeep tua saith deg – dim digon cyflym. Am ychydig eiliadau'n unig roedd Alecs yn gyfochrog â'r awyren nwyddau, dim ond cwpl o fetrau oddi wrthi. Ond roedd hi'n mynd ar y blaen iddo'n barod. Ar unrhyw foment byddai yn yr awyr.

Ac yn syth o'i flaen, roedd y ffordd wedi'i chau. Roedd dau Jeep arall wedi cyrraedd y llain lanio. Cydbwysai mwy o warchodwyr ar y seddau, yn hanner-cyrcydu, â drylliau peiriant yn eu dwylo. Sylweddolodd Alecs mai'r unig reswm nad oeddent yn saethu oedd bod arnyn nhw ofn taro'r awyren. Ond roedd yr awyren wedi codi'n barod. O'i flaen, ac ychydig i'r chwith, gwelodd Alecs yr olwyn flaen yn gadael y llawr. Cymerodd gipolwg yn y drych. Roedd y car oedd wedi'i ddilyn o'r tŷ yn union y tu ôl iddo. Doedd ganddo unman ar ôl i fynd.

Un car y tu ôl iddo. Dau Jeep y tu blaen iddo. Yr awyren bellach yn yr awyr, yr olwynion ôl yn codi'n glir. Popeth yn digwydd ar unwaith.

Gollyngodd Alecs y llyw, cydio yn y dryll harpŵn a saethu. Fflachiodd yr harpŵn drwy'r awyr. Troellodd yr io-io oedd yn sownd wrth wregys Alecs gan ollwng allan dri deg metr o raff neilon wedi'i gynllunio'n arbennig. Claddodd blaen miniog yr harpŵn ei hun ym mol yr awyren. Teimlai Alecs bron fel pe bai'n cael ei rwygo'n ddau wrth iddo gael ei gipio allan o'r Jeep ar ben y rhaff. Ymhen eiliad neu ddwy roedd bedwar deg, neu bum deg metr uwchlaw'r llain lanio, yn hongian o dan yr awyren. Trodd ei Jeep i'r ochr yn sydyn, allan o reolaeth. Ceisiodd y ddau Jeep arall ei osgoi – a methu. Trawodd y tri cherbyd ei gilydd a ffrwydro – pelen o dân a dwrn o fwg a ddilynodd Alecs i fyny fel pe bai'n ceisio'i gipio'n ôl i lawr. Eiliad yn ddiweddarach daeth ffrwydrad arall. Roedd yr ail gar wedi ceisio osgoi'r ddau Jeep, ond roedd yn teithio'n rhy gyflym. Hyrddiodd yn erbyn y cerbydau tanbaid, troi drosodd a sgrechian ymlaen ar ei do ar hyd y llain lanio cyn ffrwydro fel y lleill a llosgi'n ulw.

Ychydig o hyn welodd Alecs. Roedd yn hongian o'r awyren wrth un llinyn gwyn, tenau, yn troi mewn cylchoedd wrth iddo gael ei gario'n uwch ac yn uwch i'r awyr. Rhuthrai'r gwynt heibio iddo, gan ddyrnu'i wyneb a'i fyddaru. Doedd o ddim hyd yn oed yn gallu clywed sŵn y propelors yn syth uwch ei ben. Roedd y belt yn torri i mewn i'w ganol. Prin y gallai anadlu. Ymbalfalodd yn wyllt am yr io-io a ddod o hyd i'r rheolydd roedd ei angen. Un botwm … fe'i pwysodd. Dechreuodd y motor bychan, cryf tu mewn i'r io-io weithio. Trodd yr io-io ar ei felt, gan dynnu'r llinyn i mewn. Yn araf iawn, rhyw gentimetr ar y tro, cafodd Alecs ei dynnu i fyny tua'r awyren.

Roedd wedi anelu'r harpŵn yn ofalus. Roedd drws yng nghefn yr awyren, a phan ddiffoddodd y peiriant yn yr io-io, roedd yn ddigon agos ato i estyn am y ddolen. Meddyliodd pwy tybed oedd yn hedfan yr awyren ac i ble roedd yn mynd. Roedd yn rhaid fod y peilot wedi gweld y distryw ar y llain lanio islaw, ond byddai'n amhosib iddo fod wedi clywed yr harpŵn. Doedd dim modd iddo wybod ei fod wedi codi teithiwr ychwanegol.

Roedd agor y drws yn anoddach nag y disgwyliai Alecs. Roedd yn dal i hongian dan yr awyren, a phob tro y byddai'n dod yn agos at ddolen y drws roedd y gwynt yn ei wthio'n ôl. Prin roedd yn gallu gweld dim. Chwipiai'r gwynt yn erbyn ei lygaid. Ddwywaith llwyddodd i gyffwrdd y ddolen fetel â'i fysedd, dim ond iddo gael ei chwythu i ffwrdd cyn gallu'i throi. Y trydydd tro, llwyddodd i gael gwell gafael, ond er hynny, fe gymerodd ei holl nerth i dynnu'r ddolen i lawr.

Agorodd Alecs y drws a dringo i'r howld. Cymerodd un cipolwg yn ôl. Roedd y llain lanio dri chan metr islaw yn barod. Roedd dau dân ffyrnig i'w gweld, ond yn y pellter edrychent yn ddim mwy na phennau matsys. Datgysylltodd Alecs yr io-io, gan ei ryddhau ei hun. Estynnodd i mewn i wast ei gombats a thynnu'r dryll allan.

Roedd yr awyren yn wag ar wahân i fwndel neu ddau a edrychai'n lled-gyfarwydd i Alecs. Un peilot oedd wrth y llyw, ac mae'n rhaid bod un o'r deialau o'i flaen wedi ei rybuddio bod y drws yn agored, oherwydd trodd yn sydyn i wynebu'n ôl. Roedd Alecs wyneb yn wyneb â Mr Gwên.

'Gy charrg?' mwmiodd y bwtler.

Cododd Alecs y dryll. Nid oedd yn credu y byddai ganddo'r dewrder i'w ddefnyddio. Ond doedd o ddim am adael i Mr Gwên wybod hynny.

'O'r gora, Mr Gwên,' gwaeddodd uwch sŵn y propelors a rhuo'r gwynt. 'Falla na fedrwch chi siarad, ond well i chi wrando. Dwi isio i chi hedfan yr awyren yma i Lundain. 'Dan ni'n mynd i'r Amgueddfa Wyddoniaeth yn South Kensington. Hanner awr ar y mwya gymrith hi i ni gyrraedd. Ac os dach chi'n meddwl trio 'nhwyllo fi, mi ro i fwled ynoch chi. Dach chi'n deall?

Ddwedodd Mr Gwên ddim byd.

Taniodd Alecs y gwn. Saethodd y bwled i'r llawr yn ymyl troed Mr Gwên. Syllodd Mr Gwên ar Alecs yna nodio'n araf.

Estynnodd ei law a thynnu ar y llyw. Gwyrodd trwyn yr awyren a throi tua'r dwyrain.

DEUDDEG O'R GLOCH

Daeth Llundain i'r golwg.

Yn sydyn, ciliodd y cymylau a dyna lle'r oedd y ddinas gyfan yn disgleirio yng ngolau'r haul canol dydd. Dyna Orsaf Bŵer Battersea, yn sefyll yn falch â'i phedair simdde fawr yn gyfan, er bod llawer o'i tho wedi dadfeilio ers amser. Tu ôl iddi, ymddangosai Parc Battersea fel sgwâr o goed a llwyni gwyrdd, trwchus yn gwneud safiad olaf, yn ymladd yn erbyn yr ymledu dinesig. Yn y pellter, clwydai Olwyn y Mileniwm fel darn anferth o arian, yn cydbwyso'n ddiymdrech ar ei hymyl. Ac o'i chwmpas i bob cyfeiriad, swatiai Llundain; tyrau nwy a blociau fflatiau, rhesi diddiwedd o siopau a thai, ffyrdd, rheilffyrdd a phontydd yn ymestyn ymhell ar bob ochr, wedi eu gwahanu'n unig gan agen arian, ddisglair yn y tirlun, sef afon Tafwys.

Gwelodd Alecs hyn i gyd â'i stumog yn dynn, wrth iddo edrych allan drwy ddrws agored yr awyren. Roedd wedi cael hanner can munud i feddwl am yr hyn roedd angen iddo'i wneud. Hanner can munud tra grwnai'r awyren dros Gernyw a Dyfnaint, yna dros Wlad yr Haf a gwastatir Salisbury cyn cyrraedd y Twyni Gogleddol a hedfan ymlaen tua Windsor a

Llundain.

Pan ddringodd i mewn i'r awyren roedd Alecs wedi bwriadu defnyddio'r radio i alw'r heddlu neu unrhyw un arall a ddigwyddai wrando. Ond roedd gweld Mr Gwên wrth y llyw wedi rhoi'r farwol i'r cynllun hwnnw. Cofiodd mor gyflym y bu'r dyn, y tu allan i'w stafell ac wrth daflu'r gyllell pan oedd Alecs wedi'i glymu wrth y gadair. Gwyddai ei fod yn ddigon diogel yn ardal nwyddau'r awyren â Mr Gwên wedi ei strapio i mewn i sedd y peilot yn y pen blaen. Ond feiddiai o ddim mentro'n agosach. Hyd yn oed â'r dryll yn ei law fe fyddai hynny'n rhy beryglus.

Roedd wedi ystyried gorfodi Mr Gwên i lanio'r awyren yn Heathrow. Roedd y radio wedi dechrau clebran y funud y daethon nhw i mewn i ofod awyr Llundain, a dim ond wedi i Mr Gwên ei diffodd y peidiodd y sŵn. Ond fyddai hynny byth wedi gweithio. Erbyn iddynt gyrraedd y maes awyr, glanio a stopio'r awyren, byddai'n llawer rhy hwyr.

Ac yna, wrth iddo eistedd yn ei gwman yn ardal y nwyddau, roedd Alecs wedi sylweddoli beth oedd y ddau fwndel ar y llawr wrth ei ymyl. Y funud honno gwyddai'n union beth oedd raid iddo ei wneud.

'Iiiyrch!' meddai Mr Gwên. Trodd yn ôl yn ei

sedd, ac am y tro olaf gwelodd Alecs y wên echrydus a dorrwyd drwy ei fochau gan y gyllell syrcas.

'Diolch am y lifft,' meddai Alecs, gan neidio allan drwy'r drws agored.

Parasiwtiau oedd y bwndeli. Roedd Alecs wedi'u harchwilio a strapio un ar ei gefn tra oeddent yn hedfan dros Reading. Teimlai'n falch ei fod wedi treulio diwrnod ar hyfforddiant parasiwt gyda'r SAS, er bod y daith awyren wedi bod hyd yn oed yn waeth na'r un a ddioddefodd dros gymoedd Cymru. Y tro yma doedd dim rhaff sefydlog. Doedd neb yno i gadarnhau fod ei barasiwt wedi'i bacio'n gywir. Pe bai wedi gallu meddwl am unrhyw ffordd arall o gyrraedd yr Amgueddfa Wyddoniaeth yn y saith munud oedd ar ôl, byddai wedi ei chymryd. Doedd dim ffordd arall. Gwyddai hynny. Felly neidiodd.

Unwaith iddo groesi'r trothwy, doedd pethau ddim mor ddrwg. Daeth moment o benysgafnder dryslyd wrth i'r gwynt ei daro unwaith eto. Caeodd ei lygaid a gorfodi ei hun i gyfrif i dri. Pe bai'n tynnu'n rhy fuan gallai'r parasiwt fachu ar gynffon yr awyren. Hyd yn oed wedyn, roedd ei law wedi'i chau'n dynn, a phrin roedd wedi mwmian y gair 'tri' nad oedd yn tynnu â'i holl nerth. Blodeuodd y parasiwt yn agored uwch ei ben a chafodd ei

217

hyrddio'n ôl i fyny, yr harnais yn torri i mewn i'w geseiliau a'i ochrau.

Roeddent wedi bod yn hedfan ar bedair mil o droedfeddi. Pan agorodd Alecs ei lygaid, synnodd pa mor ddigyffro y teimlai. Roedd yn hongian yn yr awyr o dan len gysurus o sidan gwyn. Ni theimlai fel pe bai'n symud o gwbl. Wedi iddo adael yr awyren, edrychai'r ddinas hyd yn oed yn fwy afreal a phell. Dim ond fo'i hun, yr awyr a Llundain. Bron ei fod yn mwynhau.

Ac yna clywodd yr awyren yn dod yn ôl.

Roedd hi gwpl o gilometrau i ffwrdd yn barod, ond wrth edrych fe'i gwelodd hi'n gogwyddo'n serth i'r dde, yn troi'n gyflym. Cododd sŵn y peiriannau ac yna gwastatáu – gan anelu'n syth amdano. Doedd Mr Gwên ddim am adael iddo ddianc mor hawdd. Wrth i'r awyren ddod yn nes ac yn nes, bron na allai weld gwên barhaus y dyn y tu ôl i ffenest y caban. Roedd Mr Gwên yn bwriadu llywio'r awyren yn syth i mewn iddo, gan ei dorri'n ddarnau yn yr awyr.

Ond roedd Alecs wedi disgwyl hyn.

Estynnodd i lawr a thynnu'r Game Boy allan. Y tro yma doedd dim cetrisen gêm ynddo; ond tra oedd ar yr awyren roedd wedi tynnu Bomber Boy allan a'i lithro ar draws y llawr. Dyna lle roedd o bellach. Yn union tu ôl i sedd Mr Gwên.

Pwysodd y botwm START deirgwaith.

Tu mewn i'r awyren, ffrwydrodd y getrisen, gan ryddhau cwmwl o fwg melyn, chwerw. Chwyddodd y mwg drwy'r howld, gan droelli yn erbyn y ffenestri a llusgo allan drwy'r drws agored. Diflannodd Mr Gwên, wedi ei orchuddio gan fwg. Siglodd yr awyren, yna plymio i'r ddaear.

Gwyliodd Alecs yr awyren yn syrthio. Gallai ddychmygu Mr Gwên wedi ei ddallu, yn ymladd i gadw rheolaeth. Dechreuodd yr awyren droelli, yn araf i ddechrau, yna'n gyflymach o hyd. Cwynodd y peiriannau. Bellach roedd yn anelu'n syth am y ddaear, yn udo drwy'r awyr. Llusgai'r mwg melyn o'i hôl. Ar y funud olaf, llwyddodd Mr Gwên i godi'i phen blaen yn ôl i fyny. Ond roedd hi'n llawer rhy hwyr. Plymiodd yr awyren i mewn i'r hyn a edrychai fel darn o dir diffaith ger y dociau gan ddiflannu mewn pelen o dân.

Edrychodd Alecs ar ei oriawr. Tri munud i ddeuddeg. Roedd yn dal i fod dair mil o droedfeddi i fyny, ac os na laniai ar garreg drws yr Amgueddfa Wyddoniaeth ei hun fe fyddai'n methu. Gafaelodd yn llinynnau'r parasiwt a'u defnyddio i'w lywio'i hun, gan geisio gweithio allan y ffordd gyflymaf i lawr.

Tu mewn i Neuadd Ddwyreiniol yr Amgueddfa

Wyddoniaeth, roedd Herod Sayle yn dod i ddiwedd ei araith. Roedd y siambr gyfan wedi ei thrawsnewid ar gyfer y foment fawr pan fyddai'r peiriannau Tarandon yn cael eu rhoi ar-lein.

Roedd y stafell wedi ei dal rywsut rhwng yr hen a'r newydd, rhwng colofnau carreg a lloriau dur gloyw, rhwng y dechnoleg ddiweddaraf un a hynodion o gyfnod y Chwyldro Ddiwydiannol.

Roedd llwyfan dros-dro wedi'i osod yn y canol ar gyfer Sayle, y Prif Weinidog, Ysgrifennydd y Wasg a'r Gweinidog Addysg. O'i flaen roedd deuddeg rhes o gadeiriau – ar gyfer gohebwyr y papurau newydd, athrawon, ffrindiau. Eisteddai Alan Blunt yn y rhes flaen, yr un mor ddiemosiwn ag arfer. Roedd Mrs Jones, mewn dillad du, a thlws mawr ar ei llabed, yn y sedd agosaf ato. Bob ochr i'r neuadd roedd tyrau wedi cael eu codi, a'r camerâu teledu'n anelu at Sayle wrth iddo siarad. Roedd yr araith yn cael ei darlledu'n fyw i ysgolion ledled y wlad, a byddai'n cael ei dangos ar y newyddion fin nos. Roedd y neuadd wedi ei llenwi â dau neu dri chant o bobl, yn sefyll yn yr orielau ar y llawr cyntaf a'r ail, yn edrych i lawr ar y llwyfan o bob cyfeiriad. Wrth i Sayle siarad, roedd recordyddion tâp yn troi a chamerâu'n fflachio. Nid oedd yr un unigolyn wedi cyflwyno rhodd mor hael i'r cyhoedd erioed o'r blaen. Roedd hyn yn ddigwyddiad o bwys. Hanes yn cael ei greu.

'Y Prif Weinidog, a'r Prif Weinidog yn unig, sy'n gyfrifol am yr hyn sydd ar fin digwydd,' meddai Sayle. 'Ac rwy'n gobeithio heno, pan fydd e'n myfyrio am yr hyn sydd wedi digwydd ar draws y wlad heddiw, y bydd yn cofio ein dyddie ysgol ni gyda'n gilydd, a phopeth a wnaeth yr adeg honno. Credaf heno y bydd y wlad yn gwybod yn gywir shwd ddyn yw e. Mae un peth yn sicr. Mae heddiw'n ddiwrnod na wnewch chi fyth ei anghofio.'

Ymgrymodd Sayle. Daeth sŵn curo dwylo ysgafn. Taflodd y Prif Weinidog gipolwg dryslyd ar Ysgrifennydd y Wasg. Cododd hwnnw ei ysgwyddau mewn ystum a oedd bron yn amharchus. Cymerodd y Prif Weinidog ei le o flaen y meicroffôn.

'Wn i ddim yn iawn sut i ymateb i hynna,' meddai'n ysgafn, a chwarddodd y gohebwyr i gyd. Roedd gan y Llywodraeth gymaint o fwyafrif fel eu bod yn gwybod mai'r peth gorau iddyn nhw oedd chwerthin ar ben jôcs y Prif Weinidog. 'Rydw i'n falch fod gan Mr Sayle atgofion mor felys o'n dyddiau ysgol gyda'n gilydd ac rydw i'n falch fod y ddau ohonom, gyda'n gilydd, heddiw yn gallu gwneud gwahaniaeth mor hanfodol i'n hysgolion.'

221

Pwyntiodd Herod Sayle at fwrdd ychydig i un ochr i'r llwyfan. Ar y bwrdd roedd cyfrifiadur Tarandon, ac wrth ei ochr, lygoden. 'Hwn yw'r prif reolydd,' meddai. 'Cliciwch ar y llygoden ac fe ddaw'r holl gyfrifiaduron ar-lein.'

'Iawn.' Cododd y Prif Weinidog ei fys a newid ei safle ychydig er mwyn i'r camerâu gael y siot fwyaf ffafriol o'i wyneb. Rhywle tu allan i'r amgueddfa, dechreuodd cloc daro.

Clywodd Alecs y cloc o tua thri chan troedfedd o uchder, â tho'r Amgueddfa Wyddoniaeth yn rhuthro tuag ato.

Roedd wedi gweld yr adeilad yn syth ar ôl i'r awyren blymio i'r ddaear. Nid peth hawdd oedd dod o hyd iddo, â'r ddinas yn ymestyn fel map tri-dimensiwn oddi tano. Ar y llaw arall, roedd wedi byw ar hyd ei oes yng ngorllewin Llundain, ac wedi ymweld â'r amgueddfa'n ddigon aml. Yn gyntaf fe welodd y mowld jeli Fictoraidd, sef yr Albert Hall. Yn union i'r de o honno safai twr uchel, gwyn o dan gromen werdd: y Coleg Ymerodrol. Teimlai Alecs ei fod yn symud yn gyflymach wrth ddisgyn. Roedd y ddinas gyfan wedi troi'n jig-so ffantastig, a gwyddai mai eiliadau'n unig oedd ganddo i roi'r darnau yn eu lle. Adeilad llydan, llawn dychymyg a'i dyrau a'i ffenestri fel rhai eglwys. Yr Amgueddfa Astudiaethau Natur, mae'n rhaid. Roedd honno ar Heol Cromwell. Sut oedd rhywun yn mynd o fanno i'r Amgueddfa Wyddoniaeth? Ie wrth gwrs, troi i'r chwith wrth y goleuadau i fyny Heol yr Arddangosfa.

A dacw hi. Tynnodd Alecs ar y parasiwt, gan ei gyfeirio'i hun tuag ati. Mor fach yr edrychai o'i chymharu â'r prif adeiladau eraill – adeilad siâp petryal â tho gwastad, llwyd, yn gogwyddo i mewn o'r briffordd. Cyfres o fwâu oedd rhan o'r to, y math o beth y gallai rhywun ei weld ar orsaf reilffordd neu efallai ar dŷ gwydr anferth. Roedd y bŵau o liw oren tywyll, yn crymu un ar ôl y llall. Edrychent fel pe baent wedi eu gwneud o wydr. Gallai Alecs lanio ar y darn gwastad. Wedyn y cyfan fyddai raid iddo'i wneud fyddai edrych i mewn drwy'r ffenestri crwm. Roedd y dryll a gymerodd oddi ar y gwarchodwr ganddo o hyd. Gallai ei ddefnyddio i rybuddio'r Prif Weinidog. Os oedd raid, gallai ei ddefnyddio i saethu Herod Sayle.

Llwyddodd rywsut i'w gyfeirio'i hun uwchben yr amgueddfa. Ond dim ond wrth iddo syrthio'r ddau gan troedfedd olaf, pan glywodd y cloc yn taro deuddeg, y sylweddolodd ddau beth. Roedd yn syrthio'n llawer rhy gyflym. Ac roedd wedi methu'r to gwastad.

Mewn gwirionedd, mae gan yr Amgueddfa Wyddoniaeth ddau do. Mae'r un gwreiddiol o'r cyfnod Sioraidd ac wedi ei wneud o wydr wedi'i gryfhau â weiren. Ond rywdro'n ddiweddar mae'n rhaid ei fod wedi dechrau gollwng, oherwydd roedd y rheolwyr wedi trefnu i godi ail do o haenen blastig dros y cyfan. Hwn oedd y to oren roedd Alecs wedi ei weld.

Trawodd yn galed yn ei erbyn, ei draed gyntaf. Malodd y to'n dipiau mân. Aeth yn syth drwyddo, i siambr fewnol, gan fethu rhwydwaith o ddistiau dur ac ysgolion gweithwyr o drwch blewyn. Doedd ond digon o amser i sylwi ar yr hyn a edrychai fel carped brown, yn ymestyn dros yr wyneb crwm oddi tano. Trawodd Alecs yn ei erbyn a rhwygo drwy hwnnw hefyd. Dim ond gorchudd tenau oedd o, wedi ei gynllunio i gadw'r golau a'r llwch oddi ar y gwydr oddi tano. Gan sgrechian plymiodd Alecs drwy'r gwydr. O'r diwedd daliodd ei barasiwt ar un o'r distiau. Stopiodd gyda phlwc caled, a siglo yn yr awyr tu mewn i'r Neuadd Ddwyreiniol.

Dyma beth welodd.

Ymhell oddi tano, o'i gwmpas ymhobman, roedd tri chant o bobl wedi fferru ac yn syllu arno mewn sioc. Roedd pobl eraill yn eistedd ar gadeiriau yn syth oddi tano, ac roedd rhai ohonynt wedi cael eu taro. Roedd gwaed a darnau o wydr ym mhobman. Estynnai pont wedi ei gwneud o estyllod gwydr gwyrdd ar draws y neuadd. Roedd yno ddesg wybodaeth fodern yr olwg ac o'i blaen, ynghanol y cyfan, roedd llwyfan dros-dro wedi cael ei godi. Gwelodd y peiriant Tarandon cyntaf. Yna, heb allu credu'r peth bron, gwelodd y Prif Weinidog, yn gegagored, yn sefyll nesaf at Herod Sayle.

Siglodd Alecs yn yr awyr, gan hongian ar waelod y parasiwt. Wrth i'r darnau olaf o wydr ddisgyn a malu ar y llawr teils, daeth symudiad a sŵn yn ôl i'r Neuadd Ddwyreiniol fel ton yn ymledu.

Y dynion diogelwch oedd y rhai cyntaf i adweithio. Yn ddi-enw ac yn anweledig pan oedd angen iddynt fod, yn sydyn roedden nhw ymhobman, yn ymddangos o'r tu ôl i'r colofnau, o dan y tyrau teledu, yn rhedeg dros y bont werdd, â drylliau mewn dwylo oedd yn wag eiliad ynghynt. Roedd Alecs hefyd wedi estyn ei ddryll o wast ei gombats. Fallai bod modd iddo egluro pam roedd yma cyn i Sayle neu'r Prif Weinidog glicio'r llygoden i fywiogi'r peiriannau Tarandon. Ond roedd yn amau hynny. Roedd saethu'n gyntaf a holi wedyn fel llinell o ffilm wael. Ond mae hyd yn oed ffilmiau gwael yn gywir weithiau …

Gwagiodd y dryll.

Atseiniodd sŵn y bwledi o amgylch y stafell, yn annisgwyl o uchel. Erbyn hyn roedd pobl yn sgrechian, y gohebwyr yn dyrnu a gwthio wrth iddynt ymladd am gysgod. Aeth y fwled gyntaf ar goll. Trawodd yr ail y Prif Weinidog yn ei law, ei fys lai na chentimetr i ffwrdd o'r llygoden. Trawodd y drydedd y llygoden, gan ei chwythu'n deilchion. Trawodd y pedwerydd gysylltiad trydanol, gan chwalu'r plwg a siortio'r gylched. Roedd Sayle wedi taflu'i hun ymlaen, yn benderfynol o glician ar y llygoden ei hun. Cafodd ei daro gan y pumed bwled a'r chweched.

Cyn gynted ag roedd Alecs wedi saethu'r fwled olaf, gollyngodd y dryll, gan adael iddo syrthio â chlec i'r llawr oddi tano, a chododd gledrau'i ddwylo i fyny. Teimlai'n chwerthinllyd, yn hongian felly o'r to, â'i freichiau ar led. Ond roedd deuddeg dryll yn pwyntio ato yn barod ac roedd yn rhaid iddo ddangos i'w pherchenogion nad oedd yn arfog bellach. Hyd yn oed wedyn, daliodd ei hun yn dynn, gan ddisgwyl i'r dynion diogelwch danio. Bron y gallai ddychymgu'r gawod fwledi'n ei larpio. Am a wydden nhw, roedd yn rhyw fath o derfysgwr gwallgof a oedd newydd barasiwtio i mewn i'r Amgueddfa

Wyddoniaeth a saethu chwe ergyd at y Prif Weinidog. Eu gwaith nhw oedd ei ladd. Roeddent wedi cael eu hyfforddi i wneud hynny.

Ond ddaeth y bwledi ddim. Roedd gan bob swyddog diogelwch benset radio, ac yn y rhes flaen, roedd Mrs Jones yn cadw rheolaeth. Yr eiliad iddi adnabod Alecs roedd wedi siarad yn daer i mewn i'r tlws ar ei gwisg. *Neb i saethu! Eto – neb i saethu! Arhoswch am fy ngorchymyn!*

Ar y llwyfan, cododd pluen o fwg llwyd o gefn y Tarandon toredig, da-i-ddim. Roedd dau ddyn diogelwch wedi rhuthro at y Prif Weinidog; roedd hwnnw'n gafael yn ei arddwrn, a gwaed yn diferu o'i law. Roedd gohebwyr wedi dechrau gweiddi cwestiynau. Fflachiai camerâu'r ffotograffwyr, ac roedd y camerâu teledu, hefyd, wedi cael eu troi a'u hanelu at y ffigwr yn siglo'n uchel i fyny. Roedd rhagor o ddynion diogelwch yn symud i selio'r allanfeydd, yn dilyn gorchymyn gan Mrs Jones, tra oedd Alan Blunt yn sefyll ac yn gwylio, allan o'i ddyfnder am unwaith yn ei fywyd.

Ond doedd dim golwg o Herod Sayle. Roedd pennaeth Antur Sayle wedi cael ei saethu ddwywaith – ond rywsut neu'i gilydd roedd wedi diflannu.

YASSEN

'Fe wnest ti ddifetha pethe braidd trwy saethu'r Prif Weinidog,' meddai Alan Blunt. 'Ond ar y cyfan mae 'na le i dy longyfarch di, Alecs. Nid yn unig fe wnest ti cystal â'r hyn roedden ni'n ei ddisgwyl. Fe wnest ti lawer iawn yn well.'

Roedd yn hwyr y pnawn ar y diwrnod canlynol, ac eisteddai Alecs yn swyddfa Blunt yn adeilad y Royal & General yn Liverpool Street, yn ceisio dyfalu pam yn hollol, ar ôl y cyfan roedd wedi'i wneud drostyn nhw, bod yn rhaid i bennaeth MI6 swnio mor debyg i brifathro ysgol fonedd yn rhoi adroddiad da iddo. Eisteddai Mrs Jones nesaf ato. Roedd Alecs wedi gwrthod y mint a gynigiodd hi iddo, er ei fod yn dechrau sylweddoli mai dyna'r unig wobr y byddai'n ei gael.

Siaradodd hi am y tro cyntaf ers iddo ddod i'r stafell. 'Falle hoffet ti wybod am yr ymgyrch dacluso.'

'Iawn ...'

Taflodd hi gipolwg ar Blunt; nodiodd yntau.

'I ddechre, paid dishgwl darllen y gwir ambiti dim o hyn yn y papure,' meddai. 'Fe ddodon ni rybudd-D arno fe, sy'n golygu na all neb adrodd beth yn union ddigwyddodd. Wrth gwrs, roedd y seremoni yn yr Amgueddfa Wyddoniaeth yn cael ei darlledu'n fyw, ond yn ffodus fe lwyddon ni i dorri'r darllediad cyn i'r camerâu allu ffocysu arnat ti. A gweud y gwir, does neb yn gwybod taw bachgen peder ar ddeg oed achosodd yr holl lanast.'

'Ac felly rydyn ni moyn i bethe aros,' mwmiodd Blunt.

'Pam?' Doedd Alecs ddim yn hoffi sŵn hynny.

Anwybyddodd Mrs Jones y cwestiwn. 'Roedd yn rhaid i'r papure newydd argraffu rhywbeth, wrth gwrs,' meddai wedyn. 'Y stori y'n ni wedi ei rhyddhau yw bod Sayle wedi diodde ymosodiad gan fudiad terfysgol nad ydyn ni eto'n gwybod pwy ydyn nhw, a'i fod e wedi mynd i ymguddio.'

'Ble mae Sayle?' gofynnodd Alecs.

'Dy'n ni ddim yn gwybod. Ond fe ddewn ni o hyd iddo. Does unman ar y ddaear y gall e gwato oddi wrthon ni.'

'OK.' Roedd Alecs yn swnio'n amheus.

'Ynglŷn â'r peiriannau Tarandon, ry'n ni wedi cyhoeddi bod nam cynhyrchu peryglus arnyn nhw, ac y galle unrhyw un sy'n eu troi ymlaen gael eu lladd gan y trydan. Mae'n beth annifyr i'r Llywodreth, wrth gwrs, ond maen nhw i gyd wedi cael eu galw'n ôl, ac ry'n ni wrthi'n dod â nhw i mewn ar hyn o bryd. Yn ffodus, roedd Sayle mor eithafol fel ei fod e wedi eu rhaglennu nhw fel taw dim ond gan y Prif Weinidog yn yr Amgueddfa Wyddoniaeth y galle'r firws brech wen gael ei ryddhau. Fe lwyddest ti i strywo'r mecanwaith cychwyn, felly dyw hyd yn oed yr ychydig ysgolion hynny sydd wedi ceisio tanio'u cyfrifiaduron ddim wedi cael eu heffeithio.'

'Cael a chael oedd hi,' meddai Blunt. 'Rydyn ni wedi dadansoddi cwpl o samplau. Mae e'n farwol. Gwaeth hyd yn oed na'r stwff roedd Irac yn ei gynhyrchu yn Rhyfel y Gwlff.'

'Wyddoch chi pwy gyflenwodd y feirws?' gofynnodd Alecs.

Pesychodd Blunt. 'Na.'

'O Tsieina oedd y llong danfor wells i.'

'Dyw hynny ynddo'i hun yn golygu dim byd.' Roedd yn amlwg nad oedd Blunt yn dymuno siarad am y peth. 'Fe elli di fod yn sicr y byddwn ni'n gwneud yr holl ymholiade angenrheidiol –'

'Be am Yassen Gregorovitch?' gofynnodd Alecs.

Cymerodd Mrs Jones yr awenau. 'R'yn ni wedi caead y gwaith ym Mhorth Tallon,' meddai. 'Mae'r rhan fwyaf o'r personél dan glo 'da ni'n barod. Yn anffodus roedden ni'n ffaelu siarad 'da Nadia Vole na'r dyn roeddet ti'n 'i nabod fel Mr Gwên.'

'Doedd o'n fawr o un am sgwrsio p'run bynnag,' meddai Alecs.

'Peth ffodus taw ar safle adeiladu y disgynnodd ei awyren e,' meddai Mrs Jones wedyn. 'Chafodd neb arall ei ladd. O ran Yassen, rwy'n credu taw diflannu wnaiff e. O'r hyn rwyt ti wedi'i ddweud wrthon ni, mae'n amlwg nad oedd e mewn gwirionedd yn gweitho i Sayle. Roedd e'n gweithio i'r bobl oedd yn noddi Sayle … a sai'n credu y byddan nhw'n blês iawn 'da fe. Y tebyg yw fod Yassen yr ochr draw i'r byd erbyn hyn. Ond un diwrnod, falle y gwnewn ni ddod o hyd iddo. Wnewn ni ddim rhoi'r gore i chwilo, byth.'

Bu distawrwydd hir. Yn ôl pob golwg roedd y ddau sbei-feistr wedi dweud popeth oedd ganddynt i'w ddweud. Ond roedd un cwestiwn heb gael sylw gan neb.

'Be sy'n mynd i ddigwydd i mi?' gofynnodd Alecs.

'Rwyt ti'n mynd yn ôl i'r ysgol,' atebodd Blunt.

Estynnodd Mrs Jones amlen a'i rhoi i Alecs.

'Siec?' gofynnodd.

'Llythyr meddyg yw e, yn egluro dy fod ti wedi bod bant am dair wythnos gyda ffliw. Ffliw trwm iawn. Ac os bydd unrhyw un yn holi, mae e'n feddyg go iawn. Ddylet ti ddim cael unrhyw ffwdan.'

'Fe gei di ddala i fyw yn nhŷ dy ewythr,' meddai Blunt. 'Yr howsciper 'na sy gyda ti, Jac

Betingalw – bydd hi'n gofalu amdanat ti. Ac fel 'nny fe fyddwn ni'n gwybod ble rwyt ti os bydd dy angen di arnon ni 'to.'

Dy angen di 'to. Rhoddodd y geiriau fwy o ias i Alecs na'r un dim a ddigwyddodd iddo yn ystod y tair wythnos ddiwethaf. 'Gwneud hwyl am 'y mhen i ydach chi rŵan,' meddai.

'Na.' Syllodd Blunt arno'n ddigon oeraidd. 'Sai'n arfer tynnu coes.'

'Ti wedi gwneud yn dda iawn, Alecs,' meddai Mrs Jones, yn ceisio swnio'n fwy caredig. 'Fe ofynnodd y Prif Weinidog ei hunan i ni drosglwyddo'i ddiolch i ti. Ac fe alle fod yn rhyfeddol o ddefnyddiol i gael rhywun mor ifanc â ti – '

'Mor dalentog â ti – ' meddai Blunt ar ei thraws.

'– ar gael i ni o bryd i'w gilydd.' Cododd ei llaw i rwystro unrhyw ddadl. 'Dewch i ni beido â siarad ambiti fe nawr,' meddai. 'Ond os bydd unrhyw sefyllfa arall yn codi, falle gallwn ni gysylltu'r adeg honno.'

'Ia. Iawn.' Edrychodd Alecs o'r naill i'r llall. Doedd y bobl yma ddim yn mynd i dderbyn na yn ateb. Yn eu ffordd eu hunain, roedd y ddau mor hawddgar â Mr Gwên. 'Ga i fynd?' gofynnodd.

'Wrth gwrs y cei di,' meddai Mrs Jones. 'Hoffet ti i rywun dy yrru di gartre?'

'Dim diolch.' Cododd Alecs. 'Mi ffendia i'n ffordd 'yn hun.'

*   *   *

Fe ddylai fod yn teimlo'n well. Wrth iddo fynd yn y lifft i lawr i'r llawr gwaelod, cofiodd ei fod wedi arbed bywydau miloedd o blant ysgol, roedd wedi curo Herod Sayle, a doedd o ddim wedi cael ei ladd na hyd yn oed ei frifo'n ddifrifol. Felly pam oedd o'n teimlo'n anfodlon? Roedd yr ateb yn syml. Wedi gorfodi hyn arno yr oedd Blunt. Yn y diwedd nid oedran oedd y gwahaniaeth mawr rhyngddo fo a James Bond, ond mater o deyrngarwch. Yn yr hen ddyddiau roedd ysbïwyr yn gwneud eu gwaith am eu bod yn caru'u gwlad, am eu bod yn credu yn yr hyn oedden nhw'n ei wneud. Ond doedd neb wedi rhoi'r dewis iddo fo erioed. Y dyddiau hyn, nid cael eu cyflogi oedd ysbïwyr. Cael eu defnyddio yr oedden nhw.

Daeth allan o'r adeilad, gan fwriadu cerdded draw at orsaf y Tiwb, ond y funud honno daeth tacsi heibio a chododd ei law arno. Roedd wedi blino gormod i ddefnyddio'r cludiant cyhoeddus. Taflodd gipolwg ar y gyrrwr, yn gwyro dros y llyw mewn cardigan o waith llaw echrydus o wael, a gollyngodd ei hun yn swp ar y sedd gefn.

'Cheyne Walk, Chelsea,' meddai Alecs.

Trodd y gyrrwr ato. Roedd dryll yn ei law. Roedd ei wyneb yn fwy gwelw na'r tro diwethaf i Alecs ei weld ac roedd ôl poen anafiadau dwy fwled i'w weld yn eglur arno ond – yn hollol amhosib – Herod Sayle oedd yno.

'Os symudi di, y *bledi* plentyn, fe saetha i di,' meddai Sayle. Roedd ei lais yn wenwyn pur. 'Os gwnei di drial unrhyw beth, fe saetha i di. Eistedda'n llonydd. Ti'n dod gyda fi.'

Cliciodd y drysau ynghau, gan gloi'n awtomatig. Trodd Herod Sayle y car a gyrru i ffwrdd, ar hyd Liverpool Street, i gyfeiriad y Ddinas.

Wyddai Alecs ddim both i'w wneud. Roedd yn sicr bod Sayle am ei saethu beth bynnag. Pam, fel arall, y byddai wedi mentro cyn belled â gyrru at ddrws pencadlys MI6 yn Llundain? Ystyriodd Alecs roi cynnig ar dorri'r ffenest, ac efallai ceisio tynnu sylw car arall wrth y goleuadau. Ond fyddai hynny ddim yn gweithio. Byddai Sayle yn troi a'i ladd. Doedd gan y dyn ddim ar ôl i'w golli.

Gyrrodd y car yn ei flaen am ddeng munud. Roedd hi'n ddydd Sadwrn, a'r Ddinas wedi'i chau. Roedd y traffig yn ysgafn. Yna stopiodd Sayle o flaen adeilad uchel, modern, ei wyneb i gyd o wydr, a cherflun haniaethol – dwy gneuen

Ffrengig anferth ar slab o goncrid – y tu allan i'r brif fynedfa.

'Fe ddoi di mas o'r car 'da fi,' gorchmynnodd Sayle. 'Fe wnei di a finne gerdded i mewn i'r adeilad. Os meddyli di am redeg, cofia fod y dryll yma'n anelu at asgwrn dy gefen.'

Aeth Sayle allan o'r car gyntaf. Ni thynnodd ei lygaid am eiliad oddi ar Alecs. Dyfalodd Alecs fod y ddwy fwled, mae'n rhaid, wedi ei daro yn ei fraich chwith a'i ysgwydd. Roedd ei law chwith yn hongian yn llipa. Ond yn ei law dde yr oedd y dryll. Roedd y dryll yn hollol lonydd, yn anelu am waelod cefn Alecs.

'Mewn ...'

Drysau siglo oedd y fynedfa, ac roeddent yn agored. Cerddodd Alecs i mewn i'r cyntedd – haen o farmor ar y waliau, soffas lledr, a desg ar dro yn dderbynfa. Doedd neb i'w weld yno. Gwnaeth Sayle ystum â'r gwn a cherddodd Alecs draw at res o lifftiau. Roedd drws un ohonynt yn agored. Aethant i mewn.

'Llawr dau ddeg naw,' meddai Sayle.

Pwysodd Alecs y botwm. 'Mynd i fyny i weld yr olygfa 'dan ni?' gofynnodd.

Nodiodd Sayle. 'Gwna di'r holl *bledi* jôcs ti'n moyn,' meddai. 'Ond fi fydd yn wherthin olaf.'

Safodd y ddau mewn tawelwch. Gallai Alecs

235

deimlo'r pwysedd yn ei glustiau wrth i'r lifft godi'n uwch ac yn uwch. Roedd Sayle yn syllu arno, ei fraich anafus yn glòs wrth ei ochr, gan roi ei bwysau'n erbyn y drws. Meddyliodd Alecs am ymosod arno. Pe bai ond yn gallu gwneud hynny'n annisgwyl. Ond na … Roedden nhw'n rhy agos. Ac roedd corff Sayle yn dynn fel sbring.

Arafodd y lifft ac agorodd y drysau. Chwifiodd Sayle y dryll. 'Tro i'r whith. Fe ddei di at ddrws. Agor e.'

Gwnaeth Alecs fel y gorchmynnodd. Roedd label HELIPAD ar y drws. Arweiniai grisiau concrid am i fyny. Edrychodd Alecs ar Sayle. Nodiodd Sayle. 'Lan.'

Aethant i fyny'r grisiau a chyrraedd drws arall â bar gwthio arno. Pwysodd Alecs arno a mynd drwyddo. Roedd yn ei ôl yn yr awyr iach, dri deg llawr i fyny, ar do gwastad â mast radio a ffens uchel o fetel yn amgylchynnu'r ochrau. Safai'r ddau ar ymyl croes anferth o baent coch. Wrth edrych o'i gwmpas gallai Alecs weld yn glir ar draws y ddinas cyn belled â Canary Wharf. Roedd i'w weld yn ddiwrnod tawel o wanwyn pan adawodd Alecs swyddfeydd y Royal & General. Ond i fyny yma roedd y gwynt yn gwibio heibio a'r cymylau'n berwi.

'Strywest ti bopeth!' ebychodd Sayle yn ddolefus. 'Shwd gwnest ti fe? Shwd gwnest ti 'nhwyllo i? Taset ti'n ddyn fydden i wedi dy faeddu di! Ond o'dd raid iddyn nhw hala crwt! *Bledi* crwt ysgol! Wel, smo'r gêm wedi 'bennu 'to! Rwy'n gadel Pryden. Weli di …?'

Nodiodd Sayle a throdd Alecs gan weld bod hofrennydd yn siglo yn yr awyr y tu ôl iddo. O ble roedd o wedi ymddangos? Roedd yn goch a melyn, yn ysgafn, wedi ei bweru gan un peiriant, a gwyrai ffigur yn gwisgo sbectol dywyll a helmed dros y llyw. Colibri EC120B oedd yr hofrennydd, un o'r rhai tawelaf yn y byd. Trodd mewn hanner cylch uwch ei ben, y llafnau'n curo'r awyr.

'Hwnna yw 'nhocyn i mas o man hyn!' meddai Sayle wedyn. 'Ddôn nhw byth o hyd i fi! A ryw ddydd fe ddo' i'n ôl! Y tro nesa eiff dim byd o'i le. A fyddi di ddim 'ma i'n rhwystro i. Dyma'r diwedd i ti! Dyma ble ti'n marw!'

Doedd dim y gallai Alecs ei wneud. Cododd Sayle y gwn ac anelu, ei lygaid yn fawr, y ddwy gannwyll yn dduach nag erioed o'r blaen, yn ddim mwy na dau ben pìn yn y ddwy belen wen fawr.

Daeth dwy glec fach, ffrwydrol.

Edrychodd Alecs i lawr, gan ddisgwyl gweld

gwaed. Doedd dim byd. Ni allai deimlo dim byd. Yna siglodd Sayle a syrthio ar ei gefn. Roedd dau dwll mawr yn ei frest.

Glaniodd yr hofrennydd yng nghanol y groes. Dringodd Yassen Gregorovitch allan ohono.

A'r dryll a laddodd Herod Sayle yn ei law o hyd, cerddodd draw ac archwilio'r corff, gan ei brocio â'i droed. Wedi ei fodloni, nodiodd iddo'i hun a chadw'r dryll. Roedd wedi diffodd peiriant yr hofrennydd, a'r tu ôl iddo arafodd y llafnau a stopio. Camodd Alecs ymlaen. Roedd Yassen fel pe bai'n sylwi arno am y tro cyntaf.

'Yassen Gregorovitch ydych chi,' meddai Alecs.

Nodiodd y Rwsiad. Roedd yn amhosib dyfalu beth oedd yn digwydd tu mewn i ben y dyn. Doedd ei lygaid glas, clir yn datgelu dim.

'Pam lladdoch chi o?' gofynnodd Alecs.

'Dyna oedd fy ngorchmynion i.' Doedd dim arlliw o acen dramor yn ei lais. Siaradodd yn dawel, yn rhesymol. 'Roedd wedi mynd yn niwsans. Roedd hi'n well fel hyn.'

'Ddim yn well iddo fo.'

Cododd Yassen ei ysgwyddau.

'Be amdana i?' gofynnodd Alecs.

Edrychodd y dyn ar Alecs, yn ei bwyso a'i fesur, fel petai. 'Does dim gorchymynion gen i yn dy gylch di.' meddai.

'Dydych chi ddim am 'yn saethu inna hefyd?'

'Oes angen i mi wneud?'

Safodd y ddau yn llonydd am foment, gan syllu ar ei gilydd dros gorff Herod Sayle.

'Chi laddodd Ian Rider,' meddai Alecs. 'Fy ewythr i oedd o.'

Cododd Yassen ei ysgwyddau. 'Rwy'n lladd llawer o bobl.'

'Rhyw ddiwrnod dwi'n mynd i'ch lladd chi.'

'Mae 'na lawer wedi trio.' Gwenodd Yassen. 'Creda di fi,' meddai, 'fe fyddai'n well pe bydden ni ddim yn cwrdd eto. Cer yn ôl i'r ysgol. Cer yn ôl at dy fywyd. A'r tro nesaf y byddan nhw'n gofyn i ti, dywed na. Rhywbeth i oedolion yw lladd, ac rwyt ti'n dal yn blentyn.'

Trodd ei gefn ar Alecs a dringo i mewn i gaban yr hofrennydd. Cychwynnodd y llafnau, ac ymhen eiliad neu ddwy cododd yr hofrennydd i'r awyr eto. Am foment oedodd wrth ochr yr adeilad. Tu ôl i'r gwydr, cododd Yassen ei law. Ystum gyfeillgar? Salíwt? Cododd Alecs ei law. Chwyrlïodd yr hofrennydd i ffwrdd.

Safodd Alecs yn ei unfan, yn ei wylio, nes iddo ddiflannu yn y gwyll.

Y DIWEDD